un été en
PROVENCE

HACHETTE

Saveurs p. 6

Melons fendus au soleil, abricots perlant des gouttes de jus sucré, bottes d'ail tout frais, bouquets de basilic… La Provence se reconnaît les yeux fermés aux parfums de ses marchés (p. 10), au goût de ses olives (p. 18), aux saveurs sans mièvrerie de ses rougets (p. 16), de ses petits fromages roulés dans les herbes de la garrigue (p. 32), de ses rosés qui désaltèrent si bien sous la treille (p. 42). L'été, on part en famille couper la farigoule et la sarriette sur les pentes chauffées de l'arrière-pays, cueillir les tomates bien mûres qui tombent dans la paume et la remplissent tout entière, pour les accommoder en salades qui sentent bon le potager (p. 22). Avec les tomates vertes, on fera des confitures (p. 34). Et, pour mieux savourer les vacances, on essaiera les recettes de bourride (p. 28), de gardiane (p. 30), de beignets de fleurs de courgettes (p. 24), de gaufres au miel de lavande (p. 36). Avant de rentrer, on confira dans le sel quelques citrons de Menton (p. 23), tout pétris de soleil et d'amertume.

Chemin faisant p. 50

Sentiers tracés par les chèvres entre les chênes verts et les buissons de genévriers, chemins côtiers bordés de figuiers de Barbarie… la Provence invite aux promenades et aux cueillettes. Ici, on coupe des lavandes sauvages pour les mettre dans de jolis petits sacs et parfumer les piles de draps (p. 52), on ramasse des pommes de pins et mille autres trésors (p. 58), on fait provision de bouquets de tilleul (p. 53). De retour à la maison, les plantes récoltées seront mises à sécher pour l'herbier (p. 66), les petites feuilles rondes et coriaces du buis formeront de gracieuses initiales (p. 65) sur la première page de l'album des vacances (p. 62) tandis que les roses rouges orneront un cadre ancien (p. 57). Le brin de thym prendra racines. On bouturera également une branchette de ciste à fleurs roses, et les enfants sèmeront des graines de tournesol ou de coquelicot (p. 72). Les artistes collectionneront les pigments rouges, jaunes ou beiges qui colorent les calanques et les talus (p. 74).

Couleurs locales p. 76

V ert velouté des amandes, gris des oliviers, jaune acide des citrons, or des tournesols, ocre des façades, rouge brun des falaises de Roussillon ou de Gargas, bleu passé des lavandes… autant d'harmonies à capter (p. 76 à 80). Chaque visite, chaque découverte, sera source d'inspiration. On visitera l'atelier de Renoir ou celui de Charles-Deméry (p. 90) ; on entrera dans des chapelles inspirées (p. 94), chez un pépiniériste amoureux des sauges (p. 98) ou dans un jardin voué aux plantes aromatiques (p. 97). Atmosphères à saisir, idées à prendre. On brodera, au point de croix (parce que c'est amusant et facile) de gros insectes (p. 102) semblables à ceux qu'aimait observer J.-H. Fabre dans son Harmas (p. 68) ; une pastèque (p. 108) ou un fier cyprès (p. 110) qui marquera la page des romans dévorés sous la moustiquaire d'une grande tente féerique (p. 112).

Retour de chine p. 114

P artir chiner dans les petites brocantes de la Côte ou de l'arrière-pays (calendrier des manifestations p. 118) quand le soleil est encore tiède, dénicher une boîte à sel, un portrait d'Arlésienne, une courtepointe en piqué de Marseille (p. 116) ou, pourquoi pas ? un « santibelli » (p. 120) ; commencer une collection de barbotines sur le thème du citron (p. 122) ; sauver de l'oubli un vieux meuble en le transformant en garde-manger (p. 125) ; se laisser émouvoir par la patine des faïences d'Apt ou le charme naïf des cigales en céramique (p. 117) : bonheurs palpables qui font les vraies vacances.

Que rapporter ? p. 132

O bjets de brocante, boutures, sachets de graines, confitures de tomates vertes, tellines récoltées sur les plages camarguaises, album réalisé à deux ou quatre mains… bien des trésors à rapporter ! Mais il ne faudrait pas non plus se priver des richesses du cru. D'où l'indispensable petit tour chez les producteurs ou fabricants, et dans toutes les bonnes maisons de la région. La douceur amère des calissons fond dans la bouche tandis que la clémentine confite dégouline de sirop à la première morsure. C'est un peu de soleil et de Provence que l'on gardera tout l'hiver sous la main…

Saveurs douces

La Provence a des douceurs extrêmes, de ces saveurs de miel et d'amandes, de fruits et de sucre, qui vous ensorcellent le palais dès l'enfance. Les pêches et les figues, les cerises et les melons, s'arrondissent au soleil ; les abricots se piquent de rouge ; les vignes se chargent de grains lourds.
Il y a de la tendresse et du bonheur dans tout cela, du velours et de la sève, que les confiseurs savent depuis longtemps magnifier de sirops parfumés et de liqueurs suaves. Dans les potagers, les courgettes écarquillent à l'aube leurs fleurs jaunes et les potirons n'en finissent pas de gonfler leurs grosses joues comme d'infatigables joueurs de trompette. Des fourneaux provençaux montent des odeurs de tians caramélisés et de poires confites dans le miel. Aux terrasses des cafés, c'est l'heure où le pastis se noie dans des reflets d'opale. L'huile d'olive, riche et verte, nappe les légumes tout frais cueillis.
Il fait bon sous la treille. Le vin est rose.
La douce amertume des calissons promet de fondre sur la langue.

Le melon, fruit des papes

Voilà plus de cinq siècles que l'on cultive dans la région de Cavaillon, un cucurbitacée à la chair sucrée et fondante : le melon cantaloup. Il y fut introduit en 1495 par Charles VIII qui le rapporta des jardins des papes à Cantalupo. Autorisant le détournement des eaux de la Durance pour une meilleure irrigation, François Ier favorisa le développement de sa culture. Celle-ci s'étend sur une bande d'alluvions large de 4 km, qui longe la Durance sur 7 km. Le melon y trouve les conditions idéales de son mûrissement. Avec une production de plus de 85 000 tonnes par an, la région de Cavaillon occupe la première place nationale.

Reste la principale difficulté : choisir le bon melon, car pour être un fruit du soleil, le melon n'en demeure pas moins de la famille des courges, pastèques et autres citrouilles. Le critère d'évaluation le plus important demeure le poids : plus un melon pèse lourd, plus sa chair est juteuse et gorgée de sucre. Si le pédoncule présente des petites craquelures ou semble sur le point de se détacher, c'est qu'il est arrivé à son mûrissement maximal.

Fête

À Cavaillon, on célèbre le fruit rond autour du week-end du 14 juillet. *Renseignements au 04 90 71 32 01.* Le restaurant Prévôst, quant à lui, conjugue le melon avec une fricassée aux langoustines, un papillon de thon et un nougat glacé, mais le sert aussi en gelée et même à l'apéritif. Menu « tout melon » à 215 F. *333, avenue de Verdun, 84300 Cavaillon ; Tél. : 04 90 71 32 43.*

« Un déjeuner du Midi, frais et gai à l'œil [...]
faisait alterner sur la nappe les gros poivrons verts
et les figues sanglantes, les amandes
et les pastèques ouvertes en gigantesques magnolias roses... »
Alphonse Daudet, *N. Roumestan* (1881).

Saveurs fortes

Aux saveurs douces et maternelles, les Provençaux opposeront le sel et l'ail, le piment et les épices, la viande des taureaux, les daubes roboratives, les bouillabaisses bien relevées, les filets de sardines marinés, les aubergines grillées entières sur la braise, la poutargue de Martigues, la noirceur des tapenades corsées de câpres et d'anchois, les pissaladières, les petits chèvres secs roulés dans le thym et la force des poivrons crus… La cuisine en Provence ne manque jamais de vigueur et ne s'abandonne aux langueurs de l'été que pour mieux savourer les accords puissants de l'aïoli, de l'agneau, de la morue, des rougets de roche, du laurier, des oursins, des olives en saumure, des tomates séchées au soleil, des vins rouges charpentés et tanniques de Bandol, et de toutes les épices débarquées dans ses ports depuis des siècles. Saveurs intenses. La force et la douceur s'épouseront dans l'ardeur de l'été.

« La porte poussée, on se trouvait dans une resserre de brouettes et d'outils. Des tresses d'ail, des bottes de thym mettaient là une odeur rustique et vive. »
Henri Pourrat, *Gaspard des Montagnes, Le Pavillon des Amourettes* (1930).

L'agneau de Sisteron

L'élevage d'ovins est une activité traditionnelle dans toute la Provence, particulièrement dans les départements alpins et les Bouches-du-Rhône où l'agneau est très consommé (deux fois plus que dans le reste de la France). Parmi les viandes les plus appréciées, celle des agneaux de Sisteron jouit d'une renommée nationale. Ces agneaux-là sont nourris par leur mère jusqu'à

l'âge de quatre mois. Mais parmi les 550 000 agneaux qui passent chaque année par les très modernes abattoirs de Sisteron, seules les bêtes nées et élevées en Provence-Alpes-Côte d'Azur bénéficient du label rouge « César Agneaux Fermiers ».

Fêtes

En juillet, une grande **fête de l'agneau** a lieu à Sisteron.
Renseignements au 04 92 61 36 50.
Jausiers organise également une **fête du mouton**, en mai ou en juin, selon les années.
Renseignements au 04 92 81 21 45.

9

À vos paniers !

« *Au mois de mai, Carpentras sent la fraise, au mois de juin, la cerise, au mois de juillet, la pêche et l'abricot, au mois d'août, le melon et la pomme d'amour, au mois de septembre, le raisin… et pendant tout l'hiver, la truffe.* » Ce que Pierre Julian dit du marché de Carpentras s'applique à toute la Provence.

Carpentras
Sous les platanes

Depuis les halles, au cœur de la vieille ville, jusqu'à la longue allée Jean-Jaurès ombragée de platanes, la ville accueille son marché. Les fleurs et primeurs qui étalent la richesse du terroir agricole et viticole du comtat venaissin cèdent ensuite la place aux forains. Odeurs de terroir et ambiance garantie !
Marché tous les vendredis matin.

Cavaillon
Fruits et fripes

C'est à pied que l'on se rend dans la vieille ville pour remplir son panier quotidien parmi les magnifiques pyramides de fruits et de légumes. Si vous êtes à l'affût d'une bonne affaire, n'hésitez pas à fouiller parmi les vêtements et les fripes.
Marché tous les lundis matin, place du Clos.

Apt
L'artisanat pour tous

La ville qui se laisse occuper par le marché exhale la joie de vivre.

Dans les dédales de rues, de ruelles et de places envahies par la foule, des victuailles à profusion et un artisanat (de qualité) vous sont proposés avec humour et gentillesse.
Marché tous les samedis matin.

L'Isle-sur-la-Sorgue
Forains en costumes

Le marché, lieu de rencontres du Tout-Lubéron, offre tous les produits provençaux typiques mais aussi des antiquités et de la brocante. Ne manquez pas les animations estivales : l'avant-dernier dimanche de juillet, forains et maraîchers s'habillent en costume provençal et le premier dimanche d'août, ils vendent leur production sur les *nego chins* (barques plates) décorés pour l'occasion et amarrés le long des quais de la Sorgue.
Marché tous les jeudis et dimanches matin.

Forcalquier
Des saveurs plein les papilles

Régal pour les yeux et les papilles, c'est l'un (avec celui de Riez) des plus beaux marchés de Haute-Provence.

Ouvrez grand votre panier, vous trouverez sur les étals des plantes aromatiques (la montagne de Lure est riche de plus de 1 700 espèces végétales), du fromage de Banon, de l'agneau de Sisteron, des pâtes de fruits, des pieds et paquets, des croquets aux amandes et du pain d'épice à l'ancienne. *Marché tous les lundis matin.*

Toulon
Cade et chichi-fregi
Dans la ville résonne encore la voix de Gilbert Bécaud, qui a chanté le charme du marché toulonnais. C'est l'un des plus grands marchés de France et il bat son plein le samedi. On y trouve absolument de tout et en particulier des personnages pittoresques tels que la marchande de *chichi-fregi* (beignets croustillants parfumés à la fleur d'oranger et roulés dans le sucre) ou encore la marchande de *cade* (galette à base de farine de pois chiche cuite au feu de bois). *Marché tous les matins sauf le lundi, cours Lafayette.*

Nice
Un avant-goût d'Italie
Si vous avez aimé la *cade* toulonnaise, goûtez au *socca* niçois. Térésa vous

propose cette délicieuse spécialité sur le joyeux marché du cours Saleya. Il a un avant-goût d'Italie : ne manquez pas les étals de pâtes, d'épices, de salaisons et bien sûr de fleurs. *Marché tous les matins sauf le lundi.*

Cannes
Roses et rougets tout frais
C'est sous la halle du marché Forville que les Cannois viennent faire provision de fleurs fraîches, produits bios, poissons et de toutes les merveilles que le Midi renferme. *Marché tous les matins sauf le lundi.*

Marchés paysans
Ces marchés proposent directement du producteur au consommateur des produits 100 % naturels qui réjouissent le palais sans grever votre porte-monnaie. C'est là que vous trouverez tomates, cocos frais et artichauts violets, *coucourdes* (courges), asperges de Lauris, safran, truffe, amandes, tapenade, anchoïade, poutargue et caillettes.
Apt : mardi matin, cours Lauze de Perret.
Beaumont-de-Pertuis : samedi matin, place Neuve.
Cadenet : samedi matin, place de la Mairie.

Coustellet : dimanche matin, au carrefour de la N100 et de la D2.
Pertuis : mercredi et samedi matin, place Garcin.
Saint-Martin-de-la-Brasque : dimanche matin, place du Marché.
Saint-Maximin : mercredi matin, place Malesherbes.

Marchés des lève-tard
Ceux qui aiment paresser au lit feront leurs emplettes aux marchés de l'après-midi.
Aix-les-Milles : jeudi, de 16 à 19 h, à la coopérative vinicole.
Aubagne : vendredi, de 15 à 18 h, cours Foch.
Goult : lundi, de 14 à 17 h, place Saint-Pierre. Marché de primeurs uniquement.
Graveson : vendredi, de 16 à 20 h, place du Marché.
Velleron : du lundi au samedi, de 18 à 20 h 30, à l'entrée du village. Une ambiance à ne pas manquer.

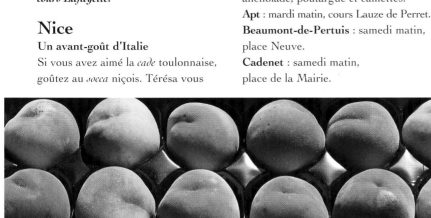

Petit déjeuner sous la treille

Quand l'heure est encore fraîche, il fait bon se retrouver sous la treille. Fougassettes, biscotins d'Aix, croquants, navettes parfumées à la fleur d'oranger, confitures d'agrumes ou miel de lavande, chichi-frégi ou oreillettes, brousse et figues fraîches, voilà les ingrédients d'un petit déjeuner qui fleure bon le pays des cigales.

Beignets du Midi

On les consomme surtout les jours de fête et les dimanches, mais ce n'est pas une raison pour s'en priver au saut du lit ! Typiquement marseillais, le chichi-frégi, ou beignet de l'Estaque, ressemble à un serpentin de pâte frit, tronçonné et roulé dans le sucre. Aujourd'hui, il est fait avec de la farine de blé mais, à l'origine, on employait surtout de la farine de pois chiche, d'où son nom. Jusque dans les années 30, ces beignets étaient uniquement confectionnés à la maison. Quant aux oreillettes, autres beignets que l'on rencontre à travers toute la Provence, mais parfois sous d'autres noms (« ganses » du côté de Nice, « mensonges » dans la Vésubie, « merveilles », « bugnes » dans le Briançonnais), elles adoptent toutes sortes de formes. On les mange surtout pendant la période du carnaval. Parfumées à la fleur d'oranger ou à la vanille et saupoudrées de sucre glace, elles sont excellentes au petit déjeuner.

Biscotins, croquants et navettes

Spécialité d'Aix, le biscotin se présente comme une grosse bille de pâte sablée que l'on avait coutume de croquer pour accompagner le vin cuit. Croquant et navette, quant à eux, sont des biscuits durs en forme de bâtonnets. Amandes et sirop de miel donnent au croquant toute sa saveur. Fleur d'oranger ou zeste de citron parfument la navette, généralement confectionnée pour la Chandeleur. Une coutume voulait qu'on en garde quelques-unes pour s'assurer, jusqu'à l'année suivante, bonheur et prospérité.

Fougasses et fougassettes

À la fin du Moyen Âge, le terme *focacia*, qui donna « fougasse », désignait en Provence un pain de luxe, fait de farine blanche, que l'on consommait lors des fêtes, notamment la veille de Noël et pour l'Épiphanie. Au XVIIe siècle, les Marseillaises avaient pour habitude de s'offrir, pour les étrennes, des fougasses de la meilleure farine. Aujourd'hui on les trouve dans toutes les boulangeries du Midi. De formes diverses, la fougasse est parfois enrichie de lard, de tomates, d'olives ou de cumin. Sa variante sucrée, la fougassette, spécialité du pays niçois, est parfumée à la fleur d'oranger et cuite à l'huile d'olive ou au beurre. Elle compte parmi les treize desserts traditionnels de Noël : de forme ovale, avec sept trous qui symbolisent le visage du Christ (yeux, narines, bouche, oreilles).

Les oreillettes

Il vous faut :
- 250 g de farine,
- 60 g de sucre,
- 50 g de beurre,
- 1 œuf,
- sucre glace.

Dans un saladier, mettre la farine. Ajouter au centre l'œuf, le sucre et un peu d'eau. Mélanger. Faire fondre le beurre puis l'incorporer à la préparation. Pétrir la pâte pour l'attendrir. Elle doit être souple mais sans mollesse. Laisser reposer en boule pendant 1 à 2 h. L'étaler ensuite au rouleau et découper à la roulette des losanges. Les faire dorer dans la friteuse (huile très chaude). Les égoutter puis les poser sur un papier absorbant. Saupoudrer de sucre glace. La pâte peut être parfumée avec de l'eau de fleur d'oranger ou de la vanille.

« Il y a les fougassettes et de ces petits pains longs pas plus gros que les bras d'enfants qu'on appelle ici des "pompes". »

Jean Giono, *Triomphe de la Vie* (1941).

Déjeuner sur l'herbe

Quelques tartines de bon pain de campagne
juste dorées au four, un tian – de ce mot
qui désigne à la fois le récipient de terre vernissé
et les légumes qu'on y cuit
en les faisant fondre tout
doucement dans l'huile parfumée
– et un beau pot de tapenade
maison : que faudrait-il de plus
pour organiser un pique-nique
de rêve à l'ombre légère et grise
des oliviers ? En remplaçant les tartines par de petits pains « marseillais »,
on fera des pan bagnats dans la grande tradition. Il ne reste plus qu'à s'adosser
à un mur chauffé par le soleil, le regard perdu dans le moutonnement des cistes,
des genévriers et des buis.

Tapenade

Il vous faut :
- 500 g d'olives noires dénoyautées,
- 1 gousse d'ail,
- 2 filets d'anchois,
- 2 cuillérées à soupe de câpres,
- du persil,
- du poivre noir,
- de l'huile d'olive.

Mixer les olives, les câpres,
les anchois, le persil et le poivre.
Une fois que tout est broyé,
incorporer l'huile d'olive.

Salade
à la mode de Nice

Les ingrédients devant ou non entrer dans la composition de cette fameuse salade niçoise constituent un sujet de querelle à bien des tables. Pour certains, il faut du thon, pour d'autres, des haricots verts. Les puristes se disputent à propos de câpres ou de pommes de terre qui, d'après eux, n'ont rien à faire dans ce festin. En fait, avant de conquérir l'ensemble de l'Hexagone, cette modeste salade était essentiellement composée des légumes du potager, qui variaient, bien évidemment, selon la saison : tomates, mesclun, « cébettes » (les tendres oignons blancs du printemps), fèves (à Pâques), petits violets, poivrons (plus tard dans l'été). L'huile d'olive parfumait tous ces légumes, relevés d'un peu de sel et de poivre, de quelques olives « niçoises » et de bons anchois auxquels on ajoutait parfois un ou deux œufs durs. Et les dépenses s'arrêtaient là. La saveur des légumes fraîchement cueillis et le parfum fruité de l'huile (que ne venait pas contrarier la moindre goutte de vinaigre) suffisaient largement au bonheur du mélange. Et cela vaut d'être essayé, au moins une fois, tel quel.

Tian de légumes

Il vous faut :
• 2 oignons,
• 1 kg de courgettes,
• 2 belles aubergines,
• 2 gousses d'ail,
• 3 tomates,
• 1 grosse pomme de terre,
• des copeaux de parmesan,
• 1 bouquet de basilic.

Avant de déposer la préparation dans un tian, il convient de le frotter avec une gousse d'ail.

Couper tous les légumes en petits cubes. Les placer dans le plat.

Saler, poivrer, arroser d'huile d'olive. Mettre à four chaud. Remuer de temps en temps. Laisser prendre une jolie couleur. Servir après avoir saupoudré le plat de parmesan et de basilic ciselé.

Les préparations varient d'une ville à l'autre, d'une campagne à un bord de mer. Le tian de Carpentras, par exemple, est composé d'épinards et de morue. D'autres, uniquement de légumes : aubergines, courgettes, céleri-branche, tomates, asperges, poireaux… Toutes les associations peuvent être tentées.

*« Les radis étaient roses
dans un petit plat allongé, avec des anchois, des sardines,
du beurre encore et du pain noir. »*

C. F. Ramuz, *Aimé Pache, Peintre vaudois* (1911).

Pissaladière

La pissaladière traditionnelle est en fait une pâte à pain arrosée d'huile d'olive, recouverte d'oignons et d'une purée d'anchois, le « pissalat ». On la décore d'olives noires et de filets d'anchois. C'est un plat probablement très ancien que l'on consomme surtout à Nice et à Antibes.

Du sel… encore du sel

L'anchois peut se consommer frais ou mariné dans du vinaigre aromatisé au thym. Mais en Provence, depuis le premier Empire romain, on l'apprécie surtout salé. Sitôt débarqués, les anchois sont brassés dans du sel. L'étêtage et l'éviscérage, très délicats, se font à la main. Nettoyés, recouverts de sel fin, les anchois dégorgent alors, pendant deux ou trois jours, dans des bocaux de grès ou de verre. Puis ils sont placés dans des fûts en couches alternées avec du sel fin, serrés, tête-bêche, bien tassés,

et mis sous presse. Le temps de mûrissement est d'environ trois mois.

Les rois de l'anchoïade

Parfois relevé d'huile d'olive et de câpres, l'anchois salé demeure en Provence le rois des condiments et participe à toutes les sauces. Entre autres, la célèbre et incontournable anchoïade, faite d'huile d'olive, d'ail, de poivre et d'anchois pilés (et qui ressemble au *quiché*, voir recette ci-contre). Elle accompagne légumes cuits et crudités ou se savoure simplement étalée sur une tranche de pain grillée sur la braise.

La fin des lamparos

La pêche des anchois se déroule toute l'année, particulièrement de fin avril à début octobre, période durant laquelle les petits poissons bleus remontent le long des côtes. La pêche traditionnelle se pratiquait la nuit, à la senne coulissante (filet encerclant les bancs de poissons), à bord des lamparos, ces barques munies d'une grosse lampe. Si quelques

---

Quiché d'anchois

Il vous faut :
- 1 pain de campagne,
- 1 à 3 gousses d'ail,
- 1 bocal d'anchois au sel,
- huile d'olive,
- vinaigre de vin,
- poivre.

Couper le pain en deux dans le sens de la longueur. Enlever la mie. Mettre cette mie, l'ail, les filets d'anchois lavés de leur sel et l'huile d'olive dans un mortier. Les piler longuement ensemble. La consistance doit être celle d'une pâte onctueuse. Ajouter quelques tours de moulin à poivre et un filet de vinaigre. Faire griller les deux moitiés du pain d'un seul côté. Tartiner la pâte d'anchois sur l'une des moitiés du pain grillé. Presser l'autre fortement contre la première. Couper ensuite des rondelles d'un centimètre d'épaisseur. Servir à l'apéritif.

---

lamparos pêchent toujours du côté de Port-Vendres ou de Martigues, ils ont aujourd'hui cédé la place aux chaluts pélagiques.

Visite

Coopérative maritime de Martigues

Vous pouvez visiter les ateliers
de cette coopérative, qui traite sardines
et anchois, et suivre toute la chaîne
de conditionnement des poissons bleus.

COPEMART

Avenue Anse Aubran,
13110 Port-de-Bouc ;
Tél. : 04 42 06 45 29.
Ouvert t.l.j. sauf samedi.
Prendre rendez-vous la veille.

Pissaladière de rougets de roche

Il vous faut (pour quatre personnes) :

• 10 petits rougets de roche
(d'environ 100 g chacun),

• 6 anchois frais,

• 6 oignons,

• 8 pommes de terre à chair jaune,

• 4 tranches fines de lard fumé,

• 20 cl de bouillon de volaille,

• 50 g d'olives dénoyautées
coupées en petits dés,

• 8 c. à s. d'huile d'olive,

• 50 g de beurre,

• thym et laurier,

• sel et poivre.

Demander au poissonnier de lever
les filets de tous les poissons. Avec
une pince à épiler, ôter toutes
les arêtes qui restent. Garder au frais.
Éplucher et émincer finement
les oignons.

Dans une poêle, faire chauffer
doucement la moitié de l'huile et le
beurre. Y faire revenir les oignons.
Ajouter le thym et laisser les oignons
réduire et fondre pendant environ
30 minutes. Préchauffer le four à 180°.
Peler et couper les pommes de terre
en fines lamelles. Dans un plat
à gratin, superposer en couches
alternées les pommes de terre et
la moitié de la fondue d'oignons. Saler
et poivrer. Arroser avec le bouillon
de volaille. Ajouter les tranches de lard
sur le dessus ainsi qu'une branchette
de thym et deux feuilles de laurier.
Couvrir le gratin et laisser cuire au
four pendant 20 minutes. Récupérer
le jus de cuisson des pommes de terre
dans un bol.
Placer les filets de poissons sur
la plaque du four et les arroser
avec le reste de l'huile. Saler et
poivrer. Enfourner pendant 4 minutes.
Récupérer l'huile de cuisson
des poissons et la mélanger au jus
des pommes de terre.
Disposer les filets de poissons
en éventail sur le gratin de pommes
de terre. Verser un peu du jus
de cuisson dessus. Décorer
la pissaladière avec les dés d'olives
noires et du thym frais effeuillé.

À la gloire de mon olivier

Symbole de paix, de fécondité, de force et de longévité, l'olivier est par excellence l'emblème de la Provence. La légende raconte qu'Athéna l'aurait offert en cadeau aux hommes. Cet arbre originaire d'Asie, introduit dans la région par les Phocéens, fondateurs de Marseille en 600 av. J.-C., signe paysages et art de vivre méditerranéens.

Une culture traditionnelle délicate

L'olivier est un arbre fragile qui demande beaucoup de soins et un climat méditerranéen : hiver doux, automne et printemps pluvieux, été chaud et sec. Les oliveraies de Provence, dont celles qui produisent l'olivette de la Drôme, ont été fréquemment décimées par les gels successifs (notamment ceux, très importants, de 1956 et 1985). Un olivier ne donne ses premiers fruits qu'au bout de cinq à six années (souvent une année sur deux) et n'atteint son plein développement que vers la trentième année. Mais il peut vivre longtemps. L'un des plus vieux, millénaire, dresse son tronc d'une circonférence de dix mètres, juste à la sortie de Roquebrune. La floraison s'étend d'avril à juin et la cueillette, selon les variétés et la destination des fruits, de septembre à février. Durant la période de maturation, l'olive se charge en huile et passe peu à peu du vert au noir. Encore verte, naturellement amère, elle nécessite différents traitements avant d'être consommée.

L'or sublime de Provence

Les olives destinées à l'huile sont exclusivement cueillies à la main, ou récoltées à l'aide d'un « peigne » et d'un filet étendu au sol. Seules les olives noires (arrivées à 60 % de matières grasses) sont utilisées - les olives vertes, trop aqueuses, sont essentiellement destinées à la table. Les olives récoltées séjournent d'abord un ou deux jours au grenier du moulin, pour fermenter. Puis, une fois lavées à l'eau froide, elles sont broyées entières avec le noyau par des meules de pierre, pendant une vingtaine de minutes, jusqu'à l'obtention d'une pâte épaisse dont on extraira l'huile par pressage. Pour cela, on dispose la pâte par couche de 2 cm sur des scourtins, larges disques tressés de coco ou de nylon, et qu'on empile ensuite par vingt-cinq ou cinquante les uns sur les autres.

Durant le pressage (30 à 40 mn), ils jouent le rôle de drain et retiennent les parties solides. Le jus recueilli, composé à moitié d'eau, sera ensuite épuré par décantation ou centrifugation. Un litre d'huile d'olive vierge nécessite 5 kg d'olives. Sa qualité dépendra de la variété choisie et du soin apporté à sa préparation. Seule l'huile de Nyons bénéficie d'une AOC, mais « extra » (moins d'1 % d'acidité) ou « fine » (moins d'1,5 % d'acidité), toutes les huiles artisanales du Midi ont droit à l'appellation « huile d'olives vierges de première pression à froid ». Les plus renommées et appréciées pour leur finesse sont celles d'Aix (au fruité doux), des Baux (au fruité plus intense) et du pays niçois. Rangée à l'abri de la lumière, l'huile se conserve parfaitement deux années et son haut point de fumée (210 °C) la rend propre à toutes les utilisations.

« Quand on cueille les olives, c'est pendant le milieu de décembre, il fait froid, il y a d'aigres bourrasques de mistral, de longues aiguillées d'eau glacée dans l'air ; on se dépêche, on tire sur les branches, on cueille à poignées et, à la fois, dans le panier on met les fruits et les feuilles. Pour que l'huile ne soit pas trop amère, il faut enlever les feuilles. Alors, on prend pour ça une de ces belles nuits où le gel immobile cimente la terre et le ciel. »

Jean Giono, *Présentation de Pan.*

Balades

La Route de l'olivier des Alpilles s'étend sur 14 communes des Bouches-du-Rhône, depuis Arles jusqu'à Salon, en passant par Saint-Rémy et Eygalières. Sites archéologiques, chapelles romanes, moulins anciens, musées, etc., jalonnent l'itinéraire. *Tél. : 04 90 59 49 39. (Service Loisirs Accueil Bouches-du-Rhône).* L'office de tourisme de Marseille propose, quant à lui, un circuit guidé de découverte de la tradition industrielle de l'huile d'olive. *Tél. : 04 91 13 89 00.*

Délices de la brousse

Au nord de la Loire, on ignore tout de la brousse, ce fromage frais au lait de brebis ou de chèvre qui est à peine un fromage, plutôt une douceur blanche et crémeuse, un vrai régal de bergère !

Cette préparation fromagère au goût très fort est faite habituellement avec des restes de tommes fermentées, de l'ail, de l'huile d'olive, de l'eau de vie et du poivre.

Les chèvres du Rove

La brousse du Rove est un fromage de chèvre frais, particulièrement fin et fondant, très apprécié. Il est obtenu par « floculation » des protéines de lait : le lait entier, une fois bouilli et très légèrement vinaigré, forme à sa surface des amas de petits flocons nommés « brousse » que l'on récupère pour fabriquer les faisselles. La brousse est consommée en dessert, avec du sucre et de l'eau de fleur d'oranger. Mélangée à des œufs, elle sert aussi de base à de délicieux gâteaux.

Les brebis du Var

La brousse du Var (ou de Toulon) est un caillé doux de lait entier de brebis vendu en petites faisselles. Les trois plus importants producteurs, installés à Barjols, Fox-Amphoux et Figanières, produisent ce fromage de la fin de l'hiver au début de l'automne. On peut le manger sucré, avec de la confiture, ou salé (il est souvent utilisé dans les omelettes). Quand elle est fermentée, la brousse du Var sert de base à la fabrication du broussin, ou « cachaille ».

S
A
V
E
U
R
S

Gâteau de brousse aux olives

Il vous faut :
• 1 brousse (fromage blanc de brebis) de 500 g,
• 20 cl d'huile d'olive,
• 150 g d'olives vertes dénoyautées,
• 150 g d'olives noires dénoyautées,
• 2 gousses d'ail hachées,
• 1 c. à s. de persil,
• 1 c. à s. de câpres,
• 1 c. à s. d'échalotes,
• 1 c. à s. de thym et de romarin frais,
• quelques feuilles de mesclun,
• 3 feuilles de gélatine.

Vinaigrette :
• 1/2 gousse d'ail,
• 1/2 échalote,
• 1/2 c. à s. de basilic et estragon frais ciselés,
• 10 cl d'huile d'olive,
• 1 c. à s. de vinaigre de vin à l'estragon.

La veille, couper des tranches épaisses de brousse et les poser sur du papier sulfurisé.

Dans une casserole, faire chauffer l'huile d'olive. Hors du feu, ajouter les feuilles de gélatine et les faire dissoudre.

Hacher les olives, l'ail, l'échalote, les câpres et les herbes.

Enduire l'intérieur d'un moule à cake d'huile d'olive. Tapisser le fond avec des tranches de brousse. Verser dessus un peu du mélange huile-gélatine, puis du mélange olives-herbes-aromates. Continuer ainsi jusqu'en haut du moule. Mettre le moule au réfrigérateur.

Le lendemain, préparer la salade et la vinaigrette. Démouler le gâteau de brousse. Couper des tranches avec un long couteau trempé dans l'eau chaude, comme pour le foie gras. Disposer dans chaque assiette une tranche de brousse aux olives et quelques feuilles de mesclun. Assaisonner avec la vinaigrette. Accompagner de croûtons de pain (que l'on peut frotter à l'ail).

21

Fruits d'or

Deux fruits d'or poussent aux jardins de Méditerranée : le citron et la tomate. L'un est jaune éclatant, l'autre prompt à s'empourprer, mais tous deux fort précieux par leur saveur et leur parfum.

« Pommes d'amour »

Découvertes en Amérique du Sud par Christophe Colomb et rapportées par ses soins à Naples, les premières tomates arrivèrent en Provence à la fin du XVIᵉ siècle. Grosses comme des billes, elles ressemblaient alors à nos tomates-cerises. Méfiants,

les Provençaux cultivent d'abord ces « pommes d'amour » dans des pots, comme plantes d'ornement. Puis ils se décident à cuisiner les jolies baies rouges. Mais, à l'imitation de leurs voisins italiens, ils n'en font guère que des sauces. Il faut dire que les tomates sont encore peu juteuses.

Progressivement, les jardiniers les améliorent. Elles prennent des joues, se gorgent de jus et leur goût s'affine. À la fin du XVIIIᵉ siècle, elles poussent dans presque tous les potagers du Midi. Les premières exploitations s'implantent à Barbentane, puis à Châteaurenard, Marseille, Perpignan, Mallemort, prenant la relève des cultures de garance et de mûrier qui, suite à l'invention des teintures chimiques et de la soie artificielle, sont en plein déclin.

Salade de tomates au chèvre
Il vous faut :
• 1 kg de tomates (de toutes sortes),
• de l'huile d'olive et du vinaigre,
• du sel, du poivre, du basilic frais,
• des petits chèvres de pays.

Laver les tomates et les couper en tranches. Les dresser dans un plat. Faire dorer les chèvres au four. Les poser sur les tomates. Arroser d'un filet d'huile d'olive (et de vinaigre éventuellement). Saler, poivrer et parsemer de basilic haché.

Citrons confits au sel

Il vous faut :

• 1 kg de citrons,

• du sel fin.

Pendant 5 jours, faire tremper
les citrons dans de l'eau qui sera
renouvelée chaque jour.
Le 6e jour, pratiquer une incision
profonde en croix sur les deux tiers
de la hauteur du citron. Ouvrir
délicatement chaque fruit pour y
introduire une cuiller à café de sel.
Refermer.
Poser les citrons côte à côte dans
un pot en terre cuite vernissée ou
dans un bocal en verre. Bien tasser
les fruits, sans les abîmer. Fermer.
Au bout de quelques jours, s'écoule
un jus assez épais. Garder
les citrons dans un local frais
un mois encore.
Le jus, salé, peut remplacer
le vinaigre (et le sel) dans
l'assaisonnement des salades.

Le citron de Menton

Une jolie légende raconte l'origine
du premier citronnier de Menton.
Chassée de l'Éden avec Adam, Ève
emporta en secret un fruit d'or.
Afin d'éviter la colère divine,
elle le cacha dans le sol ; à cet endroit
s'édifiera Menton. Cette cité doit
en réalité sa vocation citronnière
à l'exceptionnel et idéal microclimat
dont elle bénéficie. On y cultive le citron,
devenu son emblème, depuis le Moyen
Âge. Capitale européenne des agrumes,
Menton demeure la seule ville d'Europe
où l'on produit des citrons toute l'année,

grâce à une variété appelée « quatre
saisons ». D'une rare qualité et
non traités, ils se conservent plus d'un
mois. Dans les années 30, la ville
en produisait plus de 3 000 tonnes
par an, ce qui faisait d'elle le premier
producteur européen. Aujourd'hui,
la récolte est tombée à 400 tonnes.
Mais depuis quelques années,
les grands noms de la gastronomie,
de Bocuse à Fauchon, incitent
les Mentonais à relancer cette culture.
Trois mille arbres ont ainsi été plantés.
Depuis 1934, le fruit d'or est célébré
à Menton la semaine du mardi gras.
(Informations auprès de l'office
de tourisme de Menton :
Tél. 04 92 41 76 76.)
Fête toute la semaine, de 9 à 18 h ;
le mardi gras et le dimanche :
nocturne de 20 h 30 à 22 h,
avec feu d'artifice.

Visite

Les jardins Biovès du palais Carnolès
Ils abritent la plus importante
collection d'agrumes d'Europe.
3, av. de la Madone, 06500 Menton ;
Tél. : 04 92 10 05 40.
Ouvert t.l.j., de 9 à 18 h.

Fleurs de courgettes

Gloires des potagers provençaux, courgettes, courges, poivrons et aubergines, ingrédients nécessaires de la ratatouille, ouvrent leurs fleurs à l'aube et chauffent leurs fruits dodus aux ardeurs de l'été.

Cougourdons et souchettes

L'expansion des courges en Provence date du XIXe siècle. C'est en effet à cette époque qu'une nouvelle espèce, la courgette, d'origine américaine, y est introduite. Jugée insipide, cette courge allongée ne fait guère l'unanimité des Provençaux. Mais les jardiniers l'hybrident tant et si bien qu'ils finissent par l'améliorer, créant de nouvelles variétés, longues ou rondes, cannelées ou non, vert clair ou vert sombre. Ainsi naît la fameuse courge ronde de Nice, dite « cougourdon », de 5 à 6 cm de diamètre, qui prête ses formes replettes aux petits farcis niçois. Citons aussi la courge de Breuil-sur-Roya, la musquée de Provence, ou coureuse de Nice, etc. Aujourd'hui, les Bouches-du-Rhône et le Vaucluse sont les deux premiers départements producteurs de France. Les courgettes, appelées « souchettes » en Provence, s'y distinguent

généralement par leur précocité (les récoltes s'échelonnent de mars à octobre). Spécialité également niçoise, les grosses fleurs jaune orangé des courgettes se récoltent indifféremment sur les longues, les demi-longues ou les rondes de Nice. Mais on ne cueille que les fleurs mâles de ce légume.

Aubergines et « corail des jardins »

Quant à l'aubergine, importée des Indes, elle apparaît en Provence au XVIIe siècle. On aime la cuire entière dans sa peau, arrosée d'huile d'olive et parfumée d'ail frais. Ou encore réduite en purée, mélangée

avec des œufs, à moins qu'on ne la farcisse de viandes. Il faut la choisir, fraîchement cueillie, lourde, ferme, à la peau lisse, d'un violet presque noir et brillant. Il est conseillé de la faire abondamment dégorger avec du gros sel avant de la cuisiner.

Les poivrons, dits piments doux, appartiennent à la même espèce botanique que les piments et sont comme eux d'origine tropicale. Christophe Colomb aurait découvert les piments en 1493 lors de son périple en Amérique et les aurait rapportés avec lui. « *D'une saveur plus brûlante que le poivre ordinaire* », ils conquièrent alors toute l'Europe. Peu à peu d'autres variétés américaines sont découvertes dont le poivron. C'est longtemps après l'arrivée du piment, à la fin du XVIe siècle, que son petit frère, « corail des jardins », est introduit en Provence. Au XIXe siècle, le poivron est couramment consommé cru ou cuit sur la braise, simplement relevé d'un filet d'huile et de sel, ou encore confit dans le vinaigre.

Fleurs de courgettes en beignets

Il vous faut (pour une douzaine de beignets) :

- 12 fleurs de courgettes toutes fraîches,
- 75 g de farine,
- 2 pincées de sel,
- 2 tours de moulin de poivre,
- 1 c. à s. d'huile d'olive,
- 6 c. à s. de lait,
- 1 œuf.

Mettre dans un récipient la farine, le sel, le poivre, l'huile d'olive. Ajouter le jaune de l'œuf et le lait au centre. Bien mélanger. Laisser reposer au frais pendant environ 2 h. Monter le blanc d'œuf en neige et l'incorporer avec délicatesse à la pâte qui a reposé. Les beignets doivent être faits juste avant d'être mangés. Chauffer l'huile dans la friteuse. Quand elle est à la bonne température, tremper chaque fleur de courgette dans la pâte à beignets de façon à ce qu'elle soit entièrement recouverte. La déposer délicatement dans l'huile. Laisser cuire 1 mn de chaque côté. La sortir avec une écumoire et la poser, sur du papier absorbant, dans un plat qui supporte la chaleur. Garder ce plat dans un four tiède jusqu'à ce que toutes les fleurs soient frites. La même recette permet également de faire, au printemps, des beignets de fleurs d'acacias. Les grappes sont gardées entières. On procède de la même manière. Saupoudrer les grappes frites de sucre glace.

Poissons de Méditerranée

Les eaux chaudes de la Méditerranée abritent daurades, loups, thons rouges, sardines, anchois, mérous, mulets, congres, saint-pierre, sars… Recherchés ou modestes, ils tiennent une place de choix dans la cuisine provençale.

Splendeurs et or bleu

Les « trois splendeurs », daurade royale, rouget barbet et loup, sont les plus appréciés pour leur chair délicate. Noblesse oblige, ils sont généralement grillés, le plus simplement du monde, sur une braise de ceps de vigne ou de pin. Les sommités du fenouil sauvage ajoutent parfois leurs notes anisées à leurs fines saveurs marines. Plus modeste, mais tout aussi important pour la cuisine provençale : l'anchois, dont on fait, bien sûr, l'anchoïade ; mais également dame sardine, « l'or bleu de la Méditerranée », bonne de cent manières : sur le grill, en tian d'épinards, en escabèche, et même crue (les filets, levés, ayant mariné quelques heures dans un mélange de jus de citron, d'huile d'olive et d'aromates). La rascasse, l'indispensable poisson des bouillabaisses et des soupes relevées n'a pas de rivale. Quant au thon rouge, appelé parfois « saumon du pauvre », il n'en est pas moins recherché : gros et gras, il peut peser jusqu'à 700 kg. La liste serait incomplète si l'on ne citait le congre, le saint-pierre, également bien-aimé des bouillabaisses, la baudroie, poisson de la bourride, et le mulet avec les œufs duquel, à Martigues, on fait la *poutargue*.

Des demoiselles bonnes à manger !

Petits et très variés, les poissons de roche, dont la chair donne un délicieux bouillon, constituent la base essentielle des soupes et des bouillabaisses. Mais attention, pour être réussie une soupe doit comporter au moins quatre variétés de poissons !

Au choix : la girelle, dite demoiselle ou donzelle, le labre varié appelé coquette, le rouquié, le merle, le roucaou, ou encore le labre vert à la couleur éclatante. Ces poissons sont généralement pêchés à l'aide de filets fixes ou au petit gangui (petit chalut). Autrefois, les girelles, particulièrement petites et difficiles à capturer, étaient pêchées selon une technique originale. Des paniers en osier – les gireliers – garnis d'oursins et de moules écrasés, posés entre 10 et 40 mètres de profondeur, attiraient ces frétillantes demoiselles. Si vous n'êtes pas un *fan* de la bouillabaisse, goûtez au mange-tout. Spécialité régionale, cette friture n'est faite qu'avec des poissons d'argent : sardinettes, menus anchois, petites girelles et blennies : plus ils sont petits, meilleurs ils sont !

Une activité artisanale en difficulté

La pêche artisanale est aujourd'hui une activité secondaire, voire marginale. Elle a beaucoup diminué en raison, notamment, de l'étroitesse du plateau continental, de la pollution des eaux et de la politique européenne. Les ports provençaux les plus importants : Toulon, Port-Saint-Louis, Martigues, Carry-le-Rouet, Cassis, continuent malgré tout de pêcher plusieurs milliers de tonnes de sardines, d'anchois, de maquereaux et d'anguilles par an. Marseille et les ports environnants conservent la première place nationale pour le petit poisson d'argent, avec 7 000 à 8 000 tonnes de sardines pêchées par an.

Marchés aux poissons

C'est sur les quais, directement auprès des pêcheurs, que vous trouverez les poissons les plus frais.
Marseille : quai des Belges, tous les matins ; halles Delacroix, tous les jours.
Nice : place Saint-François (vieux Nice), tous les matins (sauf lundi).
Villefranche : place de la Paix, tous les matins.
Martigues : sur le port Carro ou le quai Terré, tous les matins.
Citons aussi les marchés des ports de Carry-le-Rouet, La Ciotat, les Saintes-Maries-de-la-Mer, Fos, Sausset-les-Pins.

Fêtes

Thonades et sardinades
Les importantes pêches de sardines et de thons donnent lieu à de grandes fêtes, appelées « thonades » ou « sardinades ».
Des « sardinades » ont lieu à Martigues tous les soirs de juillet et d'août, à partir de 18 heures, au bord des canaux. Sardines grillées à l'escabèche et petits vins de pays sont au menu.
Pour les pêcheurs, des concours sportifs de pêche au thon sont organisés en août à Carry-le-Rouet, à Martigues et à Port-de-Bouc ; ils sont suivis, le soir, par de réjouissantes « thonades ».

Bourride

Cette recette est constituée d'un bouillon, d'un plat de poissons avec des pommes de terre et d'un aïoli présenté en saucière. La bourride ressemble à la bouillabaisse à cette différence près que seuls les poissons blancs entrent dans sa composition. À Saint-Raphaël, on ajoute du safran en fin de cuisson. Partout l'aïoli apporte sa note piquante qui achève de faire le distinguo entre les deux plats.

> **Aïoli**
>
> *Il vous faut :*
> - 3 gousses d'ail,
> - 2 jaunes d'œufs,
> - 30 cl d'huile d'olive,
> - 1 jus de citron, sel et poivre.
>
> Après en avoir enlevé le germe, piler l'ail additionné d'une pincée de sel. Quand tout est bien écrasé, ajouter les 2 jaunes d'œufs, l'un après l'autre. Monter avec de l'huile d'olive. Compléter par le poivre et le jus de citron.

Rose comme l'ail

Avec la tomate et l'huile d'olive, l'ail est l'un des ingrédients dominants de la cuisine provençale. Condiment venu des steppes d'Asie centrale, l'ail possède en effet, outre un puissant arôme (dont l'odeur, qu'on se le dise, se diffuse dans le sang pendant 24 heures !), de très utiles propriétés médicinales. Il favorise la digestion, fait baisser la tension et régularise la circulation sanguine. En Provence, c'est l'ail rose qui a toutes les faveurs. La variété « rose de Lautrec » bénéficie même d'une appellation d'origine.

Les gousses sont mises en terre en début de printemps pour une récolte en juillet. Tressé ou en bouquet, conservé en lieu sec, l'ail rose se garde d'une année sur l'autre.

Fêtes

Foires à l'ail

Fin août, Piolenc, en Vaucluse, rend hommage au « faiseur de saveur ». Tout comme les foires à l'ail de Marseille, de mi-juin à mi-juillet, et de Cabriès, en juillet. *Renseignements au 04 90 29 63 66, pour Piolenc ; 04 91 13 89 00, pour Marseille ; 04 42 22 00 23 ou 04 42 69 10 19, pour Cabriès.*

La bourride

Il vous faut (pour quatre personnes) :
• 4 pageots écaillés et vidés,
• 1 loup d'1 kg coupé en tronçons,
• 4 tranches de lotte,
• 1 seiche,
• 4 étrilles,
• 4 pommes de terre moyennes,
• 20 tranches de pain de campagne d'environ 1 cm d'épaisseur,
• sel et poivre.

Pour le fond :

• 1 kg de poissons de roche,
• 2 poireaux,
• 2 oignons,
• 6 tiges de fenouil,
• persil, ail (1 tête) et laurier,
• 10 cl d'huile d'olive,
• 2 petits piments de Cayenne.

Préparer d'abord le fond. Laver les poissons, les légumes et les herbes. Les couper grossièrement. Écraser les gousses d'ail. Faire revenir le tout dans l'huile. Laisser fondre doucement pendant 15 mn. Recouvrir d'eau bouillante (environ 2 l). Laisser frémir de nouveau 15 mn. Réduire l'ensemble au presse-purée puis passer au chinois. Nettoyer la seiche et la couper en morceaux. Garder les tentacules entiers. Mettre 3 louches de fond et 3 louches d'eau dans une casserole et y faire cuire les morceaux de seiche pendant 45 mn. Éplucher et couper les pommes de terre en gros dés. Les faire également cuire, pendant 30 mn dans un mélange à part égale d'eau (salée) et de fond. Mettre la moitié de l'aïoli dans une saucière, l'autre moitié dans un grand récipient.

Passer les tranches de pain au grille-pain (sans les faire trop griller). Verser ce qui reste du fond dans une cocotte et porter à ébullition. Y jeter les étrilles. Les égoutter au bout de 3 mn. Faire pocher dans ce fond les poissons, en commençant par la lotte, plus longue à cuire. Dresser, dans un grand plat de service légèrement creux, d'un côté les pommes de terre, de l'autre les poissons, la seiche et les étrilles. Garder dans un four tiède. Pour préparer le bouillon, récupérer tous les jus de cuisson. Les passer au chinois puis donner un tour de bouillon. Verser, bouillant, sur l'aïoli et fouetter pour bien mélanger. Saler et poivrer si nécessaire. Disposer les tranches de pain au fond d'une soupière et verser le bouillon dessus. Servir très chaud.

Taureaux de Camargue

Chevaux blancs et taureaux noirs, la Camargue mélange ses troupeaux. Les bêtes vivent en semi-liberté dans de vastes zones de pâturage. Chaque manade est surveillée par des gardians. Les taureaux les plus agressifs et les plus vifs participeront aux nombreuses fêtes taurines qui animent toute la région. Soixante-dix manades élèvent chacune plus de cent têtes de race Camargue : de petite taille, de couleur noire, avec des cornes longues et fines, elle est idéale pour les courses camarguaises (dites à la cocarde). Dans les vingt-cinq *ganadérias* de la région, trois mille taureaux de race Brave, de taille supérieure et de tempérament plus combatif que la race Camargue, sont principalement réservés aux corridas.

Jeux taurins

Jusqu'à la fin du XVIIe siècle, en Camargue, les taureaux étaient exclusivement destinés aux labourages des terres et les jeux taurins étaient de simples divertissements qui se déroulaient au sein de la manade entre les gardians et autres travailleurs de la propriété : on lâchait un taureau et chacun tentait à son tour de frôler la bête au plus près.

Au début du XIXe siècle, ces jeux connaissent un succès croissant et donnent bientôt lieu à de véritables spectacles publics.

Le rite de la *Ferrado*

Les manades commencent alors à élever et à sélectionner des taureaux aux seules fins de ces jeux et travaillent à développer leur combativité. Au printemps, la *Ferrado*, qui consiste à marquer au fer les jeunes bêtes, permet de jauger l'agressivité et la résistance de l'animal. Depuis le début du siècle, elle est même l'occasion de véritables jeux et de nombreuses ferrades se déroulent en arènes : le taureau, âgé d'un an, y est marqué au fer rouge à la cuisse gauche – et d'une entaille à l'oreille, l'escoussure – aux chiffres de son propriétaire. Parmi les divers jeux taurins (*abrivado, bandido*), la course à la cocarde demeure le plus apprécié : des « razeteurs », tout habillés de blanc, rivalisent pour enlever le premier, à l'aide d'un crochet (le « razet »), une cocarde fixée entre les cornes du taureau.

« On couche [les enfants] et on laisse les anciens auprès d'eux. Ceux-ci les gardent, certes, mais surveillent aussi la daube qui ronronne devant le feu. »
Pesquidoux, *Chez Nous* (1923).

Gardiane

Il vous faut :

• 1,5 kg de joue ou de bourguignon,
• 200 g de lard fumé,
• 4 oignons,
• 4 tomates,
• vin rouge un peu lourd,
• 3 gousses d'ail,
• 1 brin de romarin,
• 1 feuille de laurier,
• 1 branche de thym.

Couper le lard en dés et le mettre à fondre dans une cocotte. Une fois les lardons dorés, les réserver. Faire revenir les morceaux de bœuf dans le gras des lardons avec les oignons émincés et l'ail écrasé. Jeter les tomates pelées, épépinées et coupées en morceaux. Ajouter les aromates. Mouiller avec le vin (à fleur de la viande), et éventuellement un peu d'eau en cours de cuisson. Couvrir la cocotte et laisser cuire à feu doux pendant 2 h (minimum). En fin de cuisson, remettre les lardons.

31

Banon, cabécou et champoléon

Ces noms qui sentent bon le terroir désignent les fromages fermiers, cabécous et « petits ronds » qui s'alignent en rangs serrés sur les marchés. Chèvres doux de Rians, de Taradeau, d'Ampus, tomme de Champsaur, de Tende, de Vésubie ou fins brebis du Var et du Rove, ils sont aussi nombreux que savoureux. Pour être « fermiers », ces fromages sont préparés exclusivement à la ferme, avec le lait de l'exploitation, et fabriqués en faibles quantités.

Banon crémeux

Le banon est le seul fromage de chèvre provençal de renommée nationale. Enfant chéri de Forcalquier, pays de bergeries, ce petit chèvre crémeux, enveloppé de feuilles de châtaignier, fait l'objet de nombreuses copies, parfois peu conformes à l'original. La fabrication traditionnelle du banon comprend d'abord l'emprésurage du lait (la présure est une substance extraite de l'estomac des ruminants, contenant un enzyme qui fait cailler le lait). Une fois caillé, il est égoutté et moulé. Le fromage est ensuite étuvé pendant douze heures durant lesquelles il est retourné deux ou trois fois. Démoulé et salé à sec, on l'entoure enfin de feuilles de châtaignier, préalablement ébouillantées ou trempées dans de l'eau vinaigrée, afin de procéder à un affinage sans oxygène, de deux semaines environ.

La tomme d'Arles

Dans les Alpes-de-Haute-Provence, tommes et fromages au lait de brebis ou de vache sont souvent des productions confidentielles. Vous trouverez néanmoins assez facilement de la tomme d'Arles sur les marchés. Ce pur brebis à pâte molle est un carré

de 5 à 6 cm de côté, sans croûte
et décoré d'une feuille de laurier.
Du printemps à l'été, une à deux
tonnes sont fabriquées par plus
de vingt producteurs fermiers
de la région d'Avignon et de Nîmes.

Spécialités
au lait de vache

Le champoléon (aux trois laits)
est préparé dans les Hautes-
Alpes. Vous le reconnaîtrez facilement
à sa raie bleue horizontale.
Le bleu du Queyras, pour sa part,
est un fromage à pâte persillée,
à la couleur crème mêlée de traces
bleu-gris. Cylindre de 20 à 50 cm
de diamètre de 8 à 10 cm de hauteur,
il pèse de 1 à 6 kg. Il est fabriqué
à Arvieux, dans les Hautes-Alpes,
à partir de lait de vache, parfois
mélangé à du lait de chèvre. Après
caillage, égouttage, ajout de souches
de moisissure, puis moulage,
il est affiné deux à trois mois, en étant
retourné deux fois par semaine.

*« Dans un petit nid d'herbe,
le berger portait
sur son bras replié
ses fromages en lait de brebis. »*

Jean Giono, *Le Serpent d'étoiles.*

Fête

Une fête du fromage est organisée
à Banon, en mai.
Tél. : 04 92 73 36 37.

Visites

Autour de Forcalquier, de nombreuses
fermes fabriquant des fromages
proposent visites et dégustations.
*Renseignements auprès de l'office
de tourisme de Forcalquier ;
Tél. : 04 92 75 10 02.*
Certaines fermes du Lubéron vendent
directement leurs produits :
Lucien Morard
*84480 Buoux ;
Tél. : 04 90 74 10 08.
T.l.j., de 8 à 12 h
et de 16 à 20 h.*
Gianni Ladu
*84400 Sivergues ;
Tél. : 04 90 74 60 89. T.l.j., de 8 à 20 h.*
Didier Bernard
*84400 Saignon ; Tél. : 04 90 04 70 59.
T.l.j., de 8 à 20 h.*
Vous pouvez également acheter
ces fromages aux étals des « marchés
paysans » *(voir aussi p. 11)* :
Tour-d'Aigues et **Apt** : le mardi matin.
Cadenet et **Pertuis** : le samedi matin.
Saint-Martin-de-la-Brasque
et **Coustellet** : le dimanche matin.

*L'été, les bêtes sont menées sur les ubacs
(versants exposés à l'ombre) où elles
broutent à loisir toutes les herbes qui
parfumeront leur lait : sainfoin, « brégon »,
« badasse », cade, amélanchier et chêne,
avec, de temps en temps quelques brins
de thym ou de poivre d'âne (sarriette).*

Bocaux ensoleillés

Quelle fête au retour des vacances d'ouvrir un de ces bocaux où se sont concentrés les parfums du jardin ou de la garrigue ! Les petits fromages de chèvre marinés dans l'huile ne se conservent que quelques jours. Mais rien n'empêche d'en fabriquer de nouveaux, avec une bonne huile achetée sur place et des herbes cueillies sur les coteaux. La confiture de tomates vertes, en revanche, se garde toute une année dans un endroit frais et sec. Cette confiture est préparée à l'entrée de l'automne, quand les dernières tomates peinent à mûrir. Elle accompagne délicieusement les chèvres bien secs, les fromages de brebis… ou les tartines du petit déjeuner.

Petits chèvres à l'huile

Il vous faut :

• des petits chèvres frais ou demi-secs,

• de l'huile d'olive,

• du fenouil en poudre, du romarin et du thym,

• du poivre concassé.

Disposer les fromages dans un joli bocal pouvant passer sur la table. Effeuiller, sur les chèvres, romarin, thym et fenouil. Ajouter du poivre concassé (et, éventuellement, un petit piment). Recouvrir complètement d'huile d'olive. Laisser mariner quelques jours avant de déguster.

Confiture de tomates vertes

Il vous faut :

• 1 kg de tomates vertes,
• 750 g de sucre cristallisé,
• 1/2 citron non traité.

Couper en tranches les tomates lavées et équeutées. Alterner dans un grand saladier les rondelles de tomate et le sucre. Ajouter le 1/2 citron coupé en dés, avec son écorce mais sans ses pépins. Laisser macérer au frais pendant 24 heures en retournant de temps en temps. Le lendemain, mettre le tout dans une bassine à confitures. Faire cuire à feu moyen jusqu'à ce que la consistance soit celle d'une confiture, ni trop épaisse ni trop liquide. Mettre aussitôt dans des pots ébouillantés. Quand la confiture est froide, recouvrir d'une rondelle de paraffine. Puis poser une feuille de papier et dater.

Visites

Le Moulin de la Cascade de Monessargues

Trois produits valent à Forcalquier d'être classé parmi les cent sites remarquables du goût : le fromage de Banon, les apéritifs aux plantes de Lure et l'huile d'olive de Lurs. Dans ce charmant village perché, le Moulin de la Cascade de Monessargues est l'un des derniers moulins à huile fonctionnant, comme par le passé, à l'eau. Chaque année, dans cette bâtisse du XVIIᵉ siècle, la meule broie près d'une tonne d'olives. La famille Masse y élabore une délicieuse huile, dans la tradition, refusant l'AOC qui exigerait une modification de la fabrication. Le ramassage des précieux fruits se faisant de novembre à janvier, vous n'aurez pas la possibilité de visiter le moulin en activité mais vous pourrez voir les installations et faire provision de bonne huile verte et généreuse.
Route de Sigonce, 04700 Lurs ;
Tél. : 04 92 79 95 03
ou 04 92 78 75 06.

Musée de l'Olivier des Baux-de-Provence

Tél. : 04 90 54 55 56.
Ouvert t.l.j., de 9 à 20 h 30.

Musée de l'Olivier de Cagnes-sur-Mer

Tél. : 04 93 20 85 57.
Ouvert t.l.j. sauf mardi, de 10 h 30 à 12 h 30 et de 13 h 30 à 18 h.

Le Moulin des Bouillons, près de Gordes

Le plus ancien moulin à huile de Provence (XVIᵉ siècle), classé monument historique, est situé dans un parc qui abrite également une exposition sur l'olivier en Méditerranée et un musée du vitrail.
Tél. : 04 90 72 22 11.
Ouvert t.l.j. sauf mardi, de 10 à 12 h et de 14 à 18 h.

Gaufres au miel

Voici un dessert à mi-chemin du péché de gourmandise et du souvenir d'enfance, un dessert comme on n'ose plus en faire, à damner toutes les abeilles de Provence !

Miel de lavande

Parfumé, épais, de couleur claire et ambrée, très typé et très recherché, le miel de lavande se récolte en juillet. Curieusement, ce n'est qu'en 1920 que des apiculteurs provençaux ont l'idée d'associer miel et lavande. Aujourd'hui, l'élevage des abeilles représente une activité très importante. Selon la région (Ampus, Bargemon, Comps-sur-Artuby ou Cotignac) où les abeilles ont butiné, les miels de lavande (parfois mêlée de thym ou de romarin), développent des arômes différents. Celui du plateau d'Albion bénéficie d'un label régional. Mais c'est sur le plateau de Valensole que se concentre, depuis le début du siècle, l'essentiel de la production de miel de lavande. Plus de 40 000 ruches y bourdonnent tout l'été de milliards d'ouvrières (une ruche peut en abriter jusqu'à 50 000 !). Chaque ruche donne une quinzaine de kilos de miel par an, voire, certaines années exceptionnelles, de 25 à 40 kg ! Les apiculteurs déplacent les ruches en camion d'un lieu à l'autre, au gré des floraisons, pour que les abeilles ne butinent que les petites fleurs bleues de la lavande.

Fête

Fête de la lavande et du miel,
à Riez, en août.
Tél. : 04 92 77 82 80.

Visites

Miellerie du plateau de Valensole
Il est possible de visiter un rucher et d'y voir travailler des apiculteurs.
En juillet et en août, mercredi et vendredi, départ à 15 h à partir du musée de l'Abeille de Valensole. Tél. : 04 92 74 85 28 ou 04 92 74 90 02.

Musées vivants de l'abeille
De nombreux musées vivants de l'abeille proposent démonstrations, expositions et documents audiovisuels afin de nous initier à la vie quotidienne d'une ruche.
Citons, outre celui de Valensole, ***le musée de Riez. Tél.: 04 92 77 84 15.***

Gaufres au miel
Il vous faut (pour quatre personnes) :
Pour la pâte à gaufres :
- 125 g de farine,
- 50 g de beurre,
- 1/2 sachet de levure chimique,
- 5 g de sucre vanillé,
- 1 œuf,
- 25 cl de lait entier,
- 1 pincée de sel.

Pour le beurre au miel :
- 50 g de miel de lavande,
- 100 g de beurre fin,
- 1 filet de jus de citron.

Pour le décor :
- une bombe de Chantilly,
- quelques amandes ou pralines.

Pour la pâte à gaufres : faire fondre le beurre et le laisser refroidir.
Dans un saladier, mélanger la farine, la levure et le sucre vanillé. Former un puits et y ajouter le beurre, l'œuf et le sel.
Bien mélanger. Verser le lait en fouettant jusqu'à ce que la pâte soit parfaitement lisse. La laisser reposer deux heures.
Pendant ce temps, mettre le miel dans une petite casserole et le porter à ébullition. Retirer du feu et lui ajouter le beurre en fouettant.
Terminer par un jus de citron.
Faire cuire les gaufres. Les garder au chaud jusqu'à ce qu'elles soient toutes prêtes. En poser une sur chaque assiette. La napper de beurre au miel tiède. Recouvrir de Chantilly. Décorer avec des amandes grillées ou caramélisées ou encore des pralines.

Douceurs provençales

Pays de fruits, d'amandes et de miel, la Provence conjugue depuis longtemps les saveurs de l'abricot, du melon, des figues, des clémentines, des raisins et des amandes aux douceurs du sucre et du miel. Ces mariages constituent la base de presque tous les desserts et offrent d'infinies variations gourmandes : confitures, nougats blancs ou noirs, calissons, fruits secs ou confits.

Ces fruits que l'on confit

Habillés de sucre, les fruits provençaux séduisent tous les amateurs de douceurs. Dès l'époque gallo-romaine on aurait su confire les fruits à Apt mais leur renommée n'arrive qu'avec les papes en Avignon et plus tard avec madame de Sévigné qui comparait Apt à « *un véritable chaudron à confitures* ». Gardienne de la tradition, Apt est aujourd'hui la capitale mondiale du fruit confit. L'activité, devenue industrielle au milieu du XIXe siècle, représente

trente mille tonnes de fruits par an, dont la moitié est produite par l'importante entreprise Aptunion.

De sucre et de patience

Les fruits, sélectionnés juste mûrs mais encore fermes, sont lavés, dénoyautés, puis blanchis pour les rendre perméables au sucre. Le principe consiste alors à remplacer l'eau des fruits par du sucre en cuisant alternativement ce fruit dans un sirop de sucre puis en le laissant reposer 24 heures, et cela une quinzaine de fois, jusqu'à ce que les fruits deviennent tout à fait translucides. Cette série d'opérations demande une quinzaine de jours, parfois un mois. Un glaçage final permet d'éviter que les fruits collent aux doigts.

Confitures gourmandes

Les confitures artisanales ou industrielles sont aussi variées

que les fruits de la Provence : cerises bigareau, abricots rosés, coings, poires « Serteau », prunes, melons cantaloup, agrumes… De quoi oublier la classique confiture de fraises !

Berlingots, diamants rayés de blanc

Rien ne se perd dans la fabrication des fruits confits : le sirop est alors utilisé pour fabriquer des berlingots. Ces petits diamants rayés de blanc sont la spécialité de Carpentras.

Initialement parfumés à la menthe poivrée du Vaucluse, puis au citron et à l'anis, les berlingots sont aujourd'hui déclinés dans une large gamme de parfums et en voient de toutes les couleurs.

Selon la légende, ce « pégueux », mélange de sucre et de cassonade, aurait été créé par le cuisinier du pape Clément V. Plus sûrement on le devrait à un pâtissier-confiseur de Carpentras qui eût l'idée d'étirer en ruban un mélange de sucre et d'arôme de menthe, de le découper ensuite à angle droit donnant à ce bonbon une forme de cube ou de dé à jouer voisin des osselets dont il tirerait son nom (*berlingaù* en provençal). Il a existé à Carpentras jusqu'à une vingtaine de marques de berlingots, mais aujourd'hui seule la Confiserie du Mont Ventoux reste en activité. Méfiez-vous des imitations : le véritable berlingot de Carpentras ne compte pas moins de quarante rayures blanches et satinées !

Calissons d'Aix, divines mandorles

Les fruits confits lorsqu'ils s'allient aux amandes ou aux pâtes à gâteaux sont aussi la base de délicieuses douceurs provençales. Le calisson d'Aix est un petit losange blanc composé d'amandes broyées (40 %), de melons confits et de sirop de fruit (60 %).

On prête au calisson de nombreuses origines, parfois un peu farfelues. Selon certains, il aurait été créé en 1473, à l'occasion du repas de noce du roi René (pour son second mariage). Lorsque ce seigneur offrit la friandise à la nouvelle reine, celle-ci aurait souri et un convive aurait alors déclaré : « *Di Calin Soun* », « *Ce sont des câlins* ». D'autres datent l'origine des calissons au XVIᵉ siècle. Fabriqués dans les monastères, ils étaient placés dans un calice pour être distribués aux fidèles lors des célébrations religieuses. Quand la peste s'abattit sur la Provence en 1630, les calissons bénits étaient même censés protéger de toute contagion.

Aujourd'hui, les calissons (la marque

Calisson d'Aix a été déposée en 1993) sont toujours fabriqués de façon artisanale. Les huit derniers fabricants aixois se sont réunis au sein de l'U.F.C.A. (Union des Fabricants des Calissons d'Aix) et en produisent entre 300 et 400 tonnes par an.

Avec des amandes et du miel

En Provence, les fruits secs, amandes, noisettes, pignons ou pistaches sont souvent enrobés de miel ou de sucre. À Sault, le nougat au miel de lavande fait fondre plus d'un palais. Miel de lavande, amandes grillées, sucre, vanille de Bourbon et blancs d'œufs font de ce nougat blanc l'un des plus fins de Provence. Celui de Montélimar, blanc et moelleux, est plus riche encore. Il contient 30 % d'amandes mélangées à des pistaches, des noisettes, des fruits confits, du miel et du sucre. Le nougat blanc ou noir d'Allauch, dur et caramélisé (réalisé avec du miel de lavande), fait partie des treize desserts traditionnels de Noël.

Visites

Confiserie Saint-Denis

À la confiserie Saint-Denis, les secrets du confisage sont inscrits sur les parois des chaudrons de cuivre où les fruits mûris au soleil et soigneusement sélectionnés cuisent lentement dans le respect de la tradition artisanale.
Quartier Janselme, 84400 Gargas ;
Tél. : 04 90 74 07 35 (Mme Rastouil).
Visites possibles, de 8 à 12 h
et de 13 h 45 à 19 h 15
(prendre rendez-vous).

Aptunion

La plus grande entreprise de fruits confits livre les secrets de son usine.
Route d'Avignon, à 2 km d'Apt ;
Tél. : 04 90 76 31 31. Visite en août,
du lundi au vendredi matin, à 10 h 30
et à 15 h 30 (fermé en juillet).

Confiserie Marcel Richaud

La plus ancienne fabrique artisanale de fruits confits d'Apt se visite également.
48, quai de la Liberté, 84400 Apt ;
Tél. : 04 90 74 13 56.
T.l.j. sauf dimanche après-midi
et lundi, de 9 à 12 h et de 14 à 19 h.

Confiserie Florian

Pour ceux qui aiment les saveurs exotiques, cet établissement propose des confits de pétales de rose, des confitures d'agrumes et tout un assortiment de fruits confits traditionnels comme les clémentines entières.
14, quai Papacino, 06000 Nice ;
Tél. : 04 93 55 43 30.
T.l.j., de 9 à 12 h et de 14 à 18 h.

Confiserie d'Entrecasteaux

Les amateurs de calissons iront s'y approvisionner.
2, rue Entrecasteaux,
13100 Aix-en-Provence ;
Tél. : 04 42 27 15 02.
T.l.j. sauf dimanche, de 8 à 12 h
et de 14 à 19 h.

Les calissons du Roy René

Un lieu de grande tradition.
Rue Papassaudi, 13100 Aix-en-Provence ;
Tél. : 04 42 26 67 86.
T.l.j. sauf dimanche, de 9 à 12 h 30
et de 14 à 19 h.

Confiserie du Mont Ventoux,
Pour découvrir la fabrication
et retrouver le goût des berlingots
d'antan.
288, rue Notre-Dame,
84200 Carpentras ;
Tél. : 04 90 63 05 25.
T.l.j. sauf dimanche et lundi,
de 8 à 12 h et de 14 à 19 h.

André Boyer
Une adresse pour amateurs de nougat
qui se laisseront aussi tenter
par les délicieux macarons aux
amandes et les succulentes galettes
à la farine d'épeautre.
84390 Sault-en-Vaucluse ;
Tél. : 04 90 64 00 23.
T.l.j., de 7 à 19 h (prendre rendez-vous).

Les treize desserts de Noël

En Provence, le soir de Noël, le « gros souper », un repas sans viande, s'achève par les treize desserts traditionnels : rouelle de nougat, figues et raisins secs, pâte de coing, calissons, cédrats confits, noix, noisettes et amandes, poires d'hiver, prunes de Brignoles et dattes. Ces douze friandises représentent les douzes apôtres tandis que la *poumpo* (pompe) ou fougasse symbolise le Christ. Cette pâte à pain sucrée, parfumée à la fleur d'oranger et enrichie d'huile d'olive, est servie sur une claie d'osier et accompagnée de vin cuit.

Les violettes se cueillent en février.
Équeutées, elles sont trempées dans un sirop
de sucre candi et de gomme arabique.
Une fois confites, on les saupoudre de sucre
glace, puis on les met à sécher.
Afin de parfaire leur déshydratation,
elles sont ensuite étuvées à plus de 50 °C.
Les petites fleurs cristallisées de Tourette
peuvent alors décorer gâteaux et pâtisseries.

Les bons petits crus

Les vins rosés de Provence sont les héritiers d'un vignoble vieux de 2 600 ans. Servis à la cour des rois de France, ils furent longtemps réputés puis tombèrent dans l'oubli au XIXᵉ et au début du XXᵉ siècle. Aujourd'hui, ces petits vins qui accompagnent à merveille la cuisine provençale sont de nouveau à l'honneur. Le développement du tourisme, la création des appellations d'origine contrôlée et les efforts des producteurs pour accroître la qualité de ces vins ensoleillés ont porté leurs fruits.

Treize cépages

Le vignoble, héritier d'une longue histoire, a bénéficié d'apports multiples comme en témoigne le nombre des cépages ; l'appellation côtes de provence n'en recense pas moins de treize ! Il n'y a pas un rosé, mais des rosés : les vins provençaux sont des vins d'assemblage qui font ressortir les différences de terroirs, de climats ou de pratiques.

Trois couleurs

Près de deux tiers des vins de Provence sont des rosés. Ils sont aromatiques (senteurs de fruits) et bien équilibrés mais ils doivent se boire jeunes (maximum : 18 mois).
La Provence a aussi ses rouges (30 %), frais ou puissants, ils commencent à être appréciés des connaisseurs. Les vins blancs (10 %), longtemps méconnus, se sont améliorés et accompagnent très honorablement poissons et fruits de mer.

AOC et vins de pays

Presque un quart de la production provençale est relié à une appellation AOC. Il y a neuf AOC (bandol, bellet, cassis, coteaux d'aix-en-provence, coteaux des baux-de-provence, coteaux de pierrevert, coteaux varois, côtes de provence, palette). Si ces appellations sont un gage de qualité, n'hésitez pas à sortir des sentiers battus. Goûtez les nombreux vins de pays (très bien représentés dans le Var) et partez explorer les plus beaux terroirs. Les exploitations vinicoles vous ouvriront leurs portes : dégustation et découverte de l'art vigneron sont au programme.

Le bandol

Connus depuis l'Antiquité, les vins de Bandol sont produits sur les terrasses brûlées de soleil (les restanques) des alentours de Bandol. Ces rouges de longue garde, corsés et tanniques doivent leur velouté au cépage mourvèdre.

Le cassis

Le vignoble de 160 ha (l'ensemble du territoir est classé AOC) fournit des vins blancs fins avec beaucoup de caractère, connus dès la fin du Moyen Âge.
À déguster avec des fruits de mer ou une bouillabaisse.

Comité Régional de Tourisme de Provence-Côte d'Azur

On peut y retirer une brochure indicative sur la route des vignobles.
Espace Colbert, 14, rue Sainte-Barbe, 13231 Marseille Cedex 01 ;
Tél. : 04 91 39 38 00.
Du lundi au vendredi, de 9 à 12 h 30 et de 14 à 18 h.

Le côtes de provence, la star du rosé

Sixième appellation de France en volume, c'est la production la plus importante de la région. Elle représente 80 % de la production du vignoble provençal avec 100 millions de bouteilles par an sur 18 000 ha. Ces rosés sont devenus le symbole des vacances méditerranéennes. Assez corsés, ils diffèrent fortement selon leur terroir d'origine. À boire très frais.

Comité Interprofessionnel des côtes de provence

Dégustations, vinothèque et caveaux de plus de 600 vins.
Maison des Vins, N7, 83460 Les Arcs-sur-Argens ;
Tél. : 04 94 99 50 10.
En juillet et en août, t.l.j., de 10 à 20 h (parfois fermée entre 13 et 13 h 30).

Petits vignobles, mais grande réputation

Le bellet

Ce minuscule vignoble de 32 ha situé sur les hauteurs de Nice est réputé depuis le XVIIe siècle pour sa petite production (à peine 800 hl). Les blancs aromatiques, les rouges superbes et les rosés frais accompagnent à merveille la tourte de blettes ou la pissaladière.

Les Chevaliers de la Méduse

Réunie la première fois en 1951, cette confrérie a pour mission de « *promouvoir la qualité des grands crus de Provence* ». Dignes héritiers des Frères de Méduse, ordre créé en 1690, qui célébrait la bonne chère et les vins provençaux, les chevaliers actuels s'attachent à développer la qualité de cette production. Leur action et leurs manifestations prestigieuses et colorées ont contribué à la multiplication des appellations et encouragé de nombreux producteurs, petits ou grands, à améliorer la qualité de leurs vins.

La vie de bastide

Résidences secondaires de riches négociants, les bastides se sont multipliées aux portes des villes provençales au XVIIIe siècle. Aujourd'hui, le visiteur peut retrouver cet art de vivre serein en découvrant quelques-unes des bastides viticoles.

Une architecture remarquable

La bastide, parfois massive mais toujours élégante, est une demeure à deux ou trois étages, à la façade noble et à l'ordonnance classique. On y accède le plus souvent par une longue allée de platanes. Les jardins, agrémentés de terrasses, comportent des pièces d'eau et des massifs policés, entourés de buis savamment taillés que quelques statues viennent ponctuer. L'intérieur est richement meublé : salons, boudoirs, fumoirs et bibliothèques en enfilade s'ornent de toiles peintes, gypseries, boiseries, marqueteries, cheminées et marbres sculptés. Un escalier, monumental ou simple, précédé d'un vestibule, conduit aux chambres.

La passion du « bien vivre »

Les bastides apparaissent au XVIe siècle, mais se développent surtout aux XVIIe et XVIIIe siècles. Les riches négociants marseillais ou les parlementaires aixois réalisent un placement sûr en achetant des terres agricoles et les bastides se multiplient à proximité des villes. C'est ici que, dès les premières chaleurs, les citadins fortunés cherchant le repos et la fraîcheur viennent se réfugier. Le départ pour la villégiature estivale commence par un véritable déménagement : vêtements, argenterie et parfois même tapisseries et tableaux quittent l'hôtel particulier pour la bastide. La vie peut y être faite de joies simples et familiales ou d'une succession de réceptions. Les habitants de la bastide y vivent le plus souvent en totale autarcie grâce au jardin potager, au poulailler, à la vigne et aux bois.

Les bastides aujourd'hui

Inadaptées à notre mode de vie et d'un entretien excessivement coûteux, la plupart des bastides ont été transformées en hôtels, musées, maisons de retraite ou bâtiments administratifs. Cependant, certaines sont restées des demeures privées vivant généralement de l'exploitation des vignes. Témoignages d'une architecture raffinée et d'une douceur de vivre, nombre de ces bastides viticoles jalonnent le paysage provençal et conservent leur charme authentique. Vous pourrez dégustez dans ces lieux d'exception de bons vins et connaître d'agréables moments dans l'ivresse… des beaux jours. Attention, seuls les caveaux et les jardins sont accessibles (*voir pages suivantes*).

Ci-dessus : *entrée de la magnifique bastide de Val Joanis (Tél. : 04 90 79 20 77).*
À droite : *dans un très beau parc, Fons Colombe fut construit au XVIIIᵉ siècle pour le marquis de Saporta (Tél. : 04 42 61 89 62).*
Page de gauche, en bas : *château de La Coste, au Puy-Sainte-Réparade, édifié selon les plans d'Andrea Palladio, en 1682 (Tél. : 04 42 61 89 98).*

« Quatre maisons fleuries d'orchis jusque sous les tuiles émergent de blés drus et hauts… Le vent bourdonne dans les platanes. Ce sont les bastides blanches. »
Jean Giono.

À la découverte des bastides

La visite des bastides vous permettra de découvrir une architecture raffinée, mais aussi d'apprécier les vins de la région que l'on dégustera dans les caves ou à l'ombre des platanes.

Côtes du Rhône

Une bastide du XVIIIᵉ siècle

Sur le terroir des galets roulés, le domaine viticole du château La Nerthe, et son parc aux platanes centenaires, a été réalisé par le célèbre architecte avignonais J.-B. Franque. Vous dégusterez d'excellents vins dans le caveau moderne mais n'hésitez pas à demander à voir les caves de vieillissement construites en croisées d'ogive, certaines datent de 1560, d'autres du XVIIIᵉ siècle.

Château La Nerthe
Route de Sorgues, 84230 Chateauneuf-du-Pape ;
Tél. : 04 90 83 70 11.
Ouvert du lundi au vendredi, de 9 à 12 h et de 14 à 18 h.

Côtes du Luberon

En plein cœur du parc national

La bastide des XVIᵉ et XVIIᵉ siècles, qui doit son nom de Canorgue aux canalisations que les Romains creusèrent pour y amener l'eau, est

Côtes de Provence

Un ancien monastère

Une grande allée de platanes tricentenaires conduit à cette bastide du XVIIe siècle. Construite à l'emplacement d'une villa romaine, elle fut transformée en monastère cistercien au XIIe siècle avant de devenir la demeure du comte de Grimaldi. La famille Valentin vous recevra volontiers pour une dégustation décontractée au cours de laquelle elle vous présentera la production des dix-huit hectares de vignes de la propriété.

Château des Garcinières
83310 Cogolin ; Tél. : 04 94 56 02 85.
Ouvert t.l.j., de 9 à 13 h et de 16 à 20 h.

Coteaux d'Aix-en-Provence

Un ancien relais de chevaux

Cette demeure fait partie de ces jolies bastides du XVIIIe avec fontaines et jets d'eau qui ornent le pays d'Aix. Dans ce relais (gîte d'étape si vous le voulez), ceinturé d'une immense pinède, Mme et M. Double vous reçoivent dans leur caveau traditionnel, avec foudres de chêne, pour vous faire goûter des vins très élégants.

Château de Beaupré
Les Plantades,
13760 Saint-Cannat ;
Tél. : 04 42 57 33 59.
Ouvert t.l.j., de 8 à 12 h et de 14 à 18 h.

située dans le parc national. Le charme de la demeure, les terrasses, les fontaines et la vue sur la plaine sauront vous séduire. Mme et M. Margan, vignerons, vous accueillent avec chaleur et vous font déguster leur vin.

Château La Canorgue
84480 Bonnieux ; Tél. : 04 90 75 81 01.
Ouvert t.l.j. sauf dimanche et fêtes,
de 9 à 12 h et de 15 à 17 h.

Bandol

Une architecture romaine

La bastide du XVIe siècle *(photo de droite)* a été construite sur le modèle de la villa romaine avec des cours intérieures. Elle est entourée de vignes cultivées en restanques. C'est toute la mémoire du bandol que vous dégusterez dans la cave ancienne.

Château Pradeaux
83270 Saint-Cyr-sur-Mer ;
Tél. : 04 94 32 10 21.
Ouvert du lundi au vendredi,
de 8 h 30 à 12 h et de 13 h 30 à 18 h.

Pastis ...

En provençal, « pastis » signifie mélange mais le mot évoque surtout la confusion et le désordre.

« Je suis en plein pastis que je ne sais pas comment je vais m'en sortir ! » s'écriera le malheureux plongé dans l'embarras ou *« Oh ! la la ! qué pastis la circulation en ville ! »*

Histoire du pastaga

Le pastis a d'abord été une pâtisserie. Le mot « pastis » commence à désigner couramment l'apéritif anisé à partir des années 20, date à laquelle Paul Ricard crée à Marseille sa propre liqueur, à la recette jalousement protégée. L'interdiction de l'absinthe à partir de 1914 contraint les fabricants de la fameuse liqueur verte (comme la maison Pernod en Suisse) à se tourner vers le nouvel alcool anisé. De nombreuses entreprises tentent alors de mettre au point leur recette et leur méthode de fabrication personnelles mais beaucoup fermeront après la Seconde Guerre mondiale.

Une recette métissée

Plantes et épices du monde entier peuvent participer à la savante élaboration du pastis : anis étoilé (épice de Chine et du Viêt-nam), anis vert, fenouil, réglisse, cardamome (Inde), entre autres. Certains pastis artisanaux, comme celui d'Henri Bardouin, peuvent ainsi nécessiter plus de cinquante épices différentes. Plus couramment, le pastis ordinaire s'obtient par macération de plantes, d'anéthole (essence de badiane tirée de l'anis et du fenouil), de réglisse, de sucre et d'eau. Au mélange placé dans des cuves en inox, on ajoute l'alcool aromatisé par macération, distillation ou infusion des plantes. Le liquide est ensuite sucré, mélangé et filtré. Le goût de la liqueur finale dépend des dosages et de la qualité de l'alcool de base. L'appellation « pastis de Marseille », créée en 1991, propose une liqueur titrée à 45° qui contient 2 g d'anéthole par litre.

Les règles d'or

Attention ! le pastis est fragile. Il faut lui éviter tout choc thermique violent et ne jamais le conserver au réfrigérateur. Les connaisseurs ne mettent pas les glaçons directement dans le pastis mais allongent largement la liqueur (4 à 6 fois son volume) avec une eau bien fraîche (4°), puis ajoutent les glaçons.

À tous les sirops

Les cafés provençaux proposent de nombreuses versions du pastis, dont le nom varie selon le sirop utilisé. Il y en a pour tous les goûts.

« Mauresque » : pastis mélangé à du sirop d'orgeat ; « perroquet » : avec du sirop de menthe ; « tomate » : avec du sirop de grenadine ; « feuille morte » : avec du sirop de grenadine et de menthe ; « p'tit vélo » : avec de la limonade et du sirop d'orange ou « gas-oil » : avec du sirop de réglisse. Il y a aussi plusieurs façons de boire son pastis. « Noyé » :

très clair, avec de l'eau à ras du verre, ou « au flanc » : très sec. Une « momie » est un tout petit verre de pastis (1 ml), la dose normale un « entier » (2 ml), le « double », en bonne logique, en contient 4 ml.

... à l'ombre des platanes

Chemin faisant

Des calanques aux premiers contreforts des Alpes, les sentiers provençaux invitent à des promenades variées. Chemin faisant, on ramasse un petit caillou, un coquillage usé ou une pomme de pin qui s'ouvrira au soleil. On cueille un brin de serpollet, une feuille cotonneuse que l'on fera sécher, on récolte des graines de tournesol ou quelques baies de genièvre, pour mieux s'emparer de la chaleur et des parfums de l'été, capter l'épanouissement du jour.

Avec vue sur la mer

De Marseille à Cassis, le promeneur suit les sentiers des douaniers qui serpentent sans se presser, offrant sur la Méditerranée de lumineuses échappées. Au-dessus de Bandol, le chemin s'égare entre des cistes aux fleurs de papier crépon et les langoureuses silhouettes des pins maritimes. Ailleurs, des figuiers de Barbarie dressent leurs raquettes épineuses en buissons infranchissables. Anciennes pistes forestières qui mènent au cœur des Maures ou drailles traversières encore visibles à flanc de coteau : il faut s'enfoncer vers l'intérieur, dans l'ombre odorante d'une pinède, et se laisser guider.

Dans le pas des chèvres

Tandis que les randonneurs arpentent le GR5 à travers les collines niçoises, escaladent les crêtes et redescendent en lacets serrés vers les vallées de la Vésubie ou de la Tinée, le promeneur suit des chemins de transhumance tracés par les troupeaux, longe des terrasses plantées

d'oliviers sauvageons, s'engage sur
des sentiers bordés de vieux murs
où les bêtes se serrent pour s'abriter
du mistral et des froidures. Il arrive
qu'un chemin plus large fende la houle
des vignes et mène à une propriété
viticole ou à un simple cabanon.
À d'autres moments, la sente, toute
brûlée de soleil, se perd : il faut
la deviner, qui s'enroule autour
de genévriers rabougris, s'imprègne
d'un parfum de farigoule, ricoche
de caillasse en rocaille, s'attarde
sur un pré clairsemé, foulé par
les moutons, contourne un bosquet
de chênes verts… Puis les rangs
de lavande au dos rond conduisent
le marcheur vers un village ou une
fontaine, à l'ombre douce des oliviers.

*La Provence nomme « calades » ces rues
empierrées qui mènent au cœur des villages
perchés.*

Mousselines et sachets de senteurs

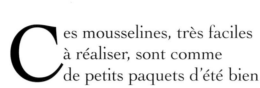

Ces mousselines, très faciles à réaliser, sont comme de petits paquets d'été bien ficelés à offrir ou à garder, dans des boîtes en fer ou de grands bocaux de confiseur. Des provisions de bonnes senteurs pour parfumer les armoires, jeter dans l'eau du bain, suspendre aux poignées des fenêtres, aromatiser les potages ou ensoleiller les courts-bouillons.

Sachets de lavande

Il vous faut :
- de la mousseline,
- du fil blanc solide.

Couper des rectangles de mousseline de 30 x 12 cm. Les replier en deux. Coudre sur trois côtés à 1/2 cm du bord. Les retourner, les repasser. Glisser des brins de lavande à l'intérieur. Passer un fil à 3 cm du haut, tout autour de l'ouverture. Serrer et fermer en nouant les deux extrémités du fil.

Fête
Le tilleul de Buis-les-Baronnies
Parmi les plantes aromatiques,
il ne faudrait pas oublier les fleurs
de tilleul. Quatre-vingt-dix pour cent
de la production française provient de
la région de Buis-les-Baronnies, au sud
de la Drôme. C'est lorsque les arbres
poussent à une certaine altitude que
le parfum des fleurs est le meilleur.
Elles se récoltent, en famille, du haut
de grandes échelles, tout au long
du mois de juin. Un grand marché
au tilleul se tient chaque année
dans cette ville, le premier mercredi
de juillet. Des montagnes de tilleul
sont pesées dans de grands ballots
de jute, les « bourras », et vendues
aux grossistes de toute la France, tandis
que de doux effluves embaument
les rues. Les festivités se poursuivent
jusqu'à la fin du week-end.
Renseignements au 04 75 28 04 59.
Herboristerie Bernard Laget
Place aux Herbes ;
Tél. : 04 75 28 16 42.

Mousselines à court-bouillon
Il vous faut :
• de la mousseline,
• du fil blanc solide,
• des étiquettes en papier.

Couper des ronds de 15 cm
de diamètre dans la mousseline
(s'aider pour cela d'une soucoupe ou
d'une petite assiette). Passer
un fil blanc à 2 cm du bord,
tout autour du rond. Laisser un bon
morceau de fil dépasser.

Poser au centre de chaque rond
soit un mélange d'herbes et de
feuilles fraîches (thym, romarin,
laurier, etc.), soit une seule essence :
fenouil, menthe, serpolet, thym, selon
les récoltes.
Tirer les extrémités du fil pour
froncer et fermer la mousseline.
Nouer le fil puis piquer l'aiguille dans
une petite étiquette
sur laquelle on aura pris soin d'écrire
le contenu de chaque mousseline.

Herbes de Provence

L'appellation « herbes de Provence » désigne un mélange de thym, de romarin, de laurier, de sarriette, d'origan, réduit en poudre. Ces cinq plantes sauvages aromatiques de la garrigue concentrent, en effet, plus de parfum sèches que fraîches. Aujourd'hui, la plupart font l'objet de cultures.

Le romarin

Les feuilles de cet arbrisseau de la garrigue, à l'arôme puissant, dont le nom latin signifie « rosée de mer », se récoltent toute l'année, de préférence au moment de la floraison. Une légende espagnole raconte que la Vierge, en fuite pour l'Égypte, s'abritant sous un buisson de romarin, l'aurait recouvert de son voile et aurait ainsi donné à ces fleurs leur bleu limpide. Symbole de fidélité, on en couvrait jadis le sol des églises pour les mariages et les funérailles. Ses feuilles séchées se conservent longtemps, mais il est préférable de ne les écraser qu'au moment de s'en servir, afin qu'elles ne perdent pas leur arôme. Principalement cultivé dans l'Estérel, le romarin est également destiné aux parfumeries de Grasse.

Le thym

Ferugoulo, ou *farigoule* en provençal, son nom vient d'un mot grec signifiant « vitalité ». Plante vivace, supportant les sols arides, on récolte ses feuilles en été, lors de la floraison. Les vertus thérapeutiques du thym sont nombreuses : antiseptique, antispasmodique, antivenimeuse, stimulante, diurétique, vermifuge, etc. Une recette anglaise du XVIIe siècle

préconisait de le mélanger à la bière pour combattre la timidité. Son cousin, le serpolet (*Thymus serpyllum*), s'ajoute aux salades de tomates et aux soupes, de préférence en fin de cuisson.

La sauge

Louis XVI s'en faisait régulièrement des infusions. Utilisée fraîche ou sèche, elle est tout autant employée pour ses vertus médicales (digestion, sueurs nocturnes) que pour son arôme. Elle parfume la fameuse *aigo boulido*, la soupe des malades. Le dicton provençal assure que « *Qui a de la sauge dans son jardin, n'a pas besoin de médecin.* ».

La sarriette vivace

Pebre d'aï, « poivre d'âne », en provençal, en raison de son parfum poivré, on lui attribue en plus de ses valeurs médicinales, des pouvoirs aphrodisiaques qui lui valent l'appellation botanique de *saturos*, « satyre » en grec. Ainsi, au Moyen Âge, les monastères en interdirent-ils longtemps la culture et l'usage. Ses feuilles se récoltent à l'apparition des boutons floraux.

Le basilic

Appelé *pistou* en provençal, *marseillais* par les cultivateurs, le basilic est étroitement associé à la cuisine méridionale, et notamment à la fameuse soupe au pistou. Il s'utilise frais car, séché, il perd toute sa saveur. Les feuilles de cette herbe venue d'Asie renfermeraient des

pouvoirs magiques : au Congo central, on les utilise pour éloigner le mauvais sort et les esprits malins. On le trouve en pot, sur les marchés, de mars à août.

Visites

Le musée des Arômes de Provence *34, boulevard Mirabeau, Saint-Rémy-de-Provence ; Tél. : 04 90 92 48 70. Du lundi au vendredi, de 9 à 12 h et de 14 à 18 h ; le samedi et dimanche, de 10 à 12 h et de 15 à 18 h.* **La ferme Saint-Agricol.** On y cultive cinq cents variétés de plantes médicales et aromatiques. (*Lire p. 96*).

La bourrache

Originaire de Grèce et de Sardaigne, elle aime les lieux chauds, assez humides et ombragés. De mai à juillet éclosent ses petites fleurs en étoiles bleu mauve vif. Comme le reste de la plante, elles ont un goût de concombre rafraîchissant. On en décore les salades vertes et les fruits rafraîchis. Bien aimée des abeilles, la bourrache participe à la pollinisation et à la mise à fruits des arbres.

Le laurier

Ses feuilles toujours vertes, symbole d'immortalité, se récoltent toute l'année. En Grèce ancienne, le laurier était consacré au culte d'Apollon et la pythie du temple de Delphes en mâchait quelques feuilles avant chaque oracle, sans doute en raison de ses légers pouvoirs narcotiques. Tissé en couronnes, il auréolait les meilleurs poètes et athlètes d'Athènes. En latin, *laurus* signifie « triomphe » et les Romains voyaient dans cette plante un symbole de puissance et de gloire. Les feuilles séchées perdent rapidement leur arôme.

Initiation

Des cours de cuisine provençale sont organisés autour du thym et du basilic, à Venasque, dans une charmante auberge. Pendant trois jours (de 10 à 15 h), on apprend à réaliser des recettes typiques : gratins, farcis, bohémiennes et terrines. En prime : la cueillette des herbes. **Auberge la Fontaine** *5 200 F pour deux personnes (3 jours et 4 nuits). Place de la Fontaine, Venasque ; Tél. : 04 90 66 02 96.*

L'essence des roses

Roses, mimosa, iris, œillets, glaïeuls, mufliers, violettes, marguerites… la Côte d'Azur s'est vouée à la culture des fleurs coupées depuis le milieu du siècle dernier. C'est Alphonse Karr, célèbre pamphlétaire venu chercher la tranquillité à Saint-Raphaël, qui aurait pris l'initiative des premières cultures florales à grande échelle.

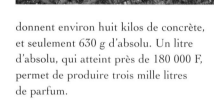

Roses de mai

Dans la région de Grasse, plus de sept millions de fleurs sont récoltées chaque année. Des roses, du jasmin, des géraniums et des fleurs d'oranger, on tire les extraits d'essence nécessaires à la composition

des parfums. Les huiles fragiles, comme celle de la rose *Centifolia*, qui ne résistent pas à la distillation classique, sont extraites par solvants volatils. Cette technique, qui utilise des dérivés du pétrole, se développa à Grasse à la fin du XIXe siècle. Sa douceur et sa rapidité lui valent d'être aujourd'hui la plus employée. Elle nécessite plusieurs étapes : ainsi pour délivrer et recueillir les parfums des roses, les fleurs sont d'abord lavées plusieurs fois à l'hexane. Le solvant s'étant emparé du parfum, on le récupère, puis on le chasse par distillation. Il reste alors « l'essence concrète », une substance solide et homogène, faite de cire inodore et des constituants odorants de la fleur. Un deuxième traitement par l'alcool éthylique sépare les parties solides des constituants odorants. Enfin, après l'élimination de l'alcool, on obtient l'« absolu » : un concentré de parfum extrêmement pur. Trente kilos de roses

donnent environ huit kilos de concrète, et seulement 630 g d'absolu. Un litre d'absolu, qui atteint près de 180 000 F, permet de produire trois mille litres de parfum.

Pot-pourri en rose

Pour préparer un pot-pourri de roses, choisissez de préférence des roses rouges, aux pétales épais, ou des roses de Damas, particulièrement

odorantes quand elles sont sèches. Mettez les pétales à sécher, à l'abri de la lumière, dans un lieu sec, bien étalés sur une toile qui laisse passer l'air. À ces pétales, vous ajouterez des boutons de roses également séchés (pour le plaisir des yeux) et des feuilles de sauge sclarée (comme fixatif). Puis, selon vos goûts, des fleurs de lavande, des feuilles de thym citron et de géranium rosat, de verveine citronnelle et de romarin, des zestes d'orange, des clous de girofle, quelques écorces de cannelle, et quelques gouttes d'essence de rose, de fleur d'oranger ou lavande. Remplissez des bocaux de votre mélange, secouez-les régulièrement, et attendez une année pour que le parfum acquiert son plein arôme.

C'est au mois de mai que se récoltent les roses Centifolia *aux pétales d'une tendre teinte.*

Cadre de roses séchées

Il vous faut :
- 2 douzaines de roses séchées,
- 1 cadre,
- 1 morceau de mousse synthétique,
- du papier collant toilé.

Pour faire sécher les roses, il existe plusieurs méthodes. La plus simple consiste à les suspendre la tête en bas dans un local bien aéré, à l'abri du soleil. Une autre, à les enterrer dans du sable très fin. Il faut verser dans une cuvette 2 ou 3 cm de sable. Couper les tiges des roses en ne gardant que 3 ou 4 cm sous la fleur. Piquer les roses verticalement dans le sable. Verser délicatement le reste du sable entre les roses jusqu'à les engloutir presque complètement. Attendre leur parfaite dessiccation pour les utiliser. Dans tous les cas, il faut utiliser des roses en boutons à peine ouverts. Les roses rouges ou roses conservent généralement de bonnes couleurs une fois sèches. En revanche, l'opération est plus incertaine avec les roses jaunes, crème ou blanches qui virent facilement au beige plus ou moins foncé. Garnir le fond d'un cadre (d'un diamètre modeste car il faut beaucoup de roses pour que la surface en soit entièrement recouverte) avec de la mousse synthétique. Utiliser du papier collant toilé pour la fixer solidement. Planter les roses dans cette mousse les unes contre les autres, en commençant par le pourtour.

Les marchés aux fleurs

Avignon : le samedi matin, place Pie et remparts.
Aix-en-Provence : tous les jours, soit place de la Mairie, soit place des Prêcheurs.
Marseille : le lundi matin, boulevard Chave ou place Félix-Baret
Nice : tous les jours (sauf dimanche et lundi), de 6 à 17 h 30, cours Saleya.
Vence : tous les matins (sauf lundi), place du Grand Jardin.
Grasse : tous les matins, place aux Aires.
Saint-Laurent du Var : le samedi, de 10 à 17 h, promenade des Flots bleus.

Boîtes de graines et de merveilles

Zestes séchés en rubans, pommes de pins, écorce de platane chantournée comme des petits morceaux de puzzle, fleurs de mimosa séchées en pompons jaunes, pétales effeuillés, petits cailloux, coquillages… les récoltes de l'été, rassemblées dans des boîtes d'entomologistes ou d'anciennes casses d'imprimerie, composeront des tableaux parfumés ou colorés.

Pins,
pommes et pignons

Le pin maritime, grand arbre pouvant atteindre une trentaine de mètres, aime la compagnie des chênes-lièges et des plantes aromatiques. On le rencontre surtout dans les massifs des Maures et de l'Estérel, où les incendies ne l'épargnent guère. Le pin parasol, quant à lui, avec sa silhouette en large ombelle si caractéristique des paysages méditerranéens, est cultivé depuis des temps immémoriaux, notamment pour ses graines comestibles : les pignes ou pignons utilisés depuis longtemps en pâtisserie voire en confiserie (on en faisait autrefois de petites dragées).

Au XIXe siècle, on disait d'ailleurs tout autant « pin parasol » que « pin pignon » ou tout simplement « pignon ».

Rubans et rondelles d'agrumes

Au début de l'année, des rubans de zestes d'orange sont mis à sécher à un clou dans les cuisines provençales. Ces serpentins parfument ensuite daubes et bouillabaisses. Ils sont également très décoratifs et peuvent se mêler à un pot-pourri de graines et de feuilles.
Pour être séchées, les rondelles d'orange, de citron ou de pamplemousse doivent être mises dans un four très doux pendant quelques heures. Parfaire le séchage en les enfilant sur une cordelette et en les suspendant, à l'ombre, de préférence dans un léger courant d'air. Les fruits entiers seront entaillés nettement jusqu'à la pulpe.
Le séchage est identique mais plus long. Comme le parfum s'évente assez rapidement, on le ravivera en cours d'année en déposant quelques gouttes d'essence d'orange ou de pamplemousse sur les fruits secs.

Visite
Écomusée du liège

Le chêne-liège, qui pousse en compagnie des arbousiers et des bruyères arborescentes dans les massifs cristallins des Maures et de l'Estérel, a été cultivé de manière intensive tout au long du XIXe siècle. Il produit un liège, dit « liège mâle », de piètre qualité. Pour obtenir un liège souple et fin, les arbres sont « démasclés », opération qui consiste à enlever leur première écorce. Une nouvelle couche de liège se forme alors, qui peut être ôtée tous les dix ou douze ans. Niché dans les Maures, cet écomusée raconte les techniques de récolte et de transformation du liège, industrie qui, au début du siècle, employait 900 ouvriers. À partir du musée, le sentier de la Roquette monte vers la chapelle Saint-Quinis, saint à qui l'on doit d'avoir, un jour, fait voler un âne (d'où l'expression « *Les ânes volent à Gonfaron.* »).
Rue de la République, 83590 Gonfaron ;
Tél. : 04 94 78 25 65.
T.l.j. sauf le lundi, de 14 à 18 h.

Le bleu pays

Les vastes champs de lavande qui couvrent la Provence lui valent son surnom de pays bleu. Aimant la rocaille, le soleil, et les hauteurs, la lavande se fait l'écho parfumé de la lumière du Midi et du bleu du ciel. Venue de l'ouest du bassin méditerranéen, utilisée depuis l'Antiquité par les Grecs et les Romains pour entretenir le linge et parfumer l'eau des bains, la lavande tient son nom du verbe latin *lavare*, « laver ». Considérée comme une plante purificatrice, on la portait sur soi durant les épidémies de peste afin de se protéger de la « mort rouge ».

Lavande et lavandin

En Provence, la lavande est cultivée depuis le début du siècle, initialement dans le val de Sault. Jusque-là, chacun allait dans la montagne couper à la faucille les fleurs sauvages. Aujourd'hui 1 100 hectares de lavande couvrent les terres de Provence. Mais il faut bien distinguer la lavande, « fine », dite vraie ou officinale – la plus belle, de 30 cm de haut, qui pousse en altitude (de 600 à 1 400 m), très prisée des parfumeurs – du commun lavandin, croisement de la lavande fine et de l'aspic (variété médiocre de lavande).

Depuis les années 30, la production de lavandin, obtenu par bouturage, domine, couvrant tous les bas versants et les vallées entre 400 et 700 m d'altitude. Ses fleurs, plus grandes, produisent en effet deux à cinq fois plus d'essence que la lavande fine, soit 2 kg d'essence pour 100 kg de fleurs. Sa fleur donne un excellent pollen pour la fabrication du miel mais son essence, légèrement camphrée, est de bien moins bonne qualité olfactive que celle de la lavande fine, ce qui la destine principalement aux produits de grandes consommations (lessives, savons, cosmétiques, parfums bon marché…). Elle se trouve à son tour fortement concurrencée aujourd'hui par les parfums de synthèse. L'AOC « huile essentielle de lavande de Haute-Provence » est réservée à l'essence obtenue à partir des seules fleurs de lavande fine.

Une distillation par percolation

Si la récolte du lavandin est entièrement mécanisée depuis les années 70, celle de la lavande fine se fait encore à la main, à la faucille. Toutes deux se déroulent de juillet jusqu'en septembre, en plein soleil, quand, sous l'effet de la chaleur, l'essence se concentre dans les fleurs. Presque toute la production est ensuite destinée à la fabrication de l'essence : les fleurs sont mises à sécher un ou deux jours puis partent pour la distillerie. Longtemps pratiquée à feu nu, la distillation utilise, depuis la fin des années 40, le procédé de « l'entraînement par vapeur d'eau » qui repose sur le même principe que celui de la cafetière à pression italienne : de la vapeur est conduite jusqu'au « vase » où les plantes, préalablement broyées, ont été rassemblées. La vapeur en les traversant fait alors éclater les micro-gouttes d'arôme des fleurs, et se charge d'essence. Refroidie dans un serpentin, elle se condense et donne un mélange d'eau et d'essence qui décante naturellement : l'essence de lavande, plus légère que l'eau, se recueille à la surface.

Un doux parfum de Provence

Savon de lavande ou essence de lavandin, ou bien encore fleurs séchées, conservées en pots-pourris ou en petits sachets, pour embaumer armoires et linge, et éloigner les mites, la lavande a de multiples usages. Et de très nombreuses vertus médicinales : antiseptique, cicatrisante, antimigraineuse, antivenimeuse (contre les morsures de vipères), sédative, contre les rhumatismes… Fraîche, frottée sur la peau, elle éloigne les mouches.

« *Le peu de linge que l'on a trouvé a été mis en place, propre, plié, raccommodé, bourré de fleurs de lavande.* »

Henri Bosco, *Le Mas Théotime* (1945).

Fêtes

Dans toute la Provence, des fêtes sont organisées chaque année afin de célébrer la petite fleur bleue : concours de coupe, démonstration de distillation, défilés, etc.

À Valensole
Le dimanche suivant le 14 juillet ; Tél. : 04 92 74 90 02.
À Sainte-Agnès
En juillet ; Tél. : 04 93 35 84 58.
À Digne-les-Bains
Corso de la lavande, le 1er week-end d'août ; Tél. : 04 92 31 50 02 ; journées « lavande », fin août ; Tél. : 04 92 31 05 20.

Visites

Ces deux sites présentent expositions et vidéos sur l'histoire de la lavande, l'art de sa coupe et les subtilités de sa distillation.

Le musée de la Lavande
Coustellet ;
Tél. : 04 90 76 91 23.
T.l.j. en juillet et août, de 10 à 12h et de 14 à 19 h.
La maison des Arômes
Buis-les-Baronnies ;
Tél. : 04 75 28 21 57.
T.l.j. sauf lundi, de 14 à 19 h.

L'album des vacances

Rien n'est plus facile à réaliser, plus amusant à préparer et plus agréable à garder qu'un album de vacances. Œuvre individuelle ou familiale, elle peut aussi impliquer les amis de passage. À chacun ses pages, par exemple. Avec un seul mot d'ordre : expression libre pour tous !

Imagination au pouvoir

Tout est possible. Point n'est besoin d'être un artiste confirmé pour crayonner un paysage, croquer une petite scène : l'imperfection du trait rendra le dessin plus émouvant encore. Ici, on écrira quelques lignes, pour raconter un incident cocasse, décrire une journée, dire merci ou au revoir. Poètes en herbe et philosophes

Une feuille de chêne vert, un croquis, une photo-souvenir... et l'album s'écrit au fil de l'été.

Tellines de Camargue

Les tellines, ces petits coquillages lisses et brillants d'un beige tirant sur l'ocre ou sur le vert olive, sont dégustés pour l'apéritif dans toute la Camargue. On les fait juste poêler, avec ail et persil. Pour être utilisées sur un encadrement ou dans une nature morte, les coquilles de tellines doivent être lavées, brossées et désinfectées à l'eau de Javel.

Pour recouvrir un cache-pot, elles peuvent se substituer aux morceaux de faïence brisée. On procédera de la même manière que pour le pot « picassiette » *(p. 85)*. Cela demande un peu de patience car les tellines sont petites. Mais rien n'empêche de mélanger les coquillages (praires, coques, pétoncles, couteaux, littorines, etc.), en procédant rangée par rangée ou selon un patchwork baroque.

du dimanche ajouteront leur grain de sel. D'une promenade, on reviendra avec quelques feuilles à faire sécher, une fleur, trois pétales, un sachet de sable, un morceau d'écorce, une photo. D'une visite de musée, on en rapportera les tickets d'entrée, une carte postale… D'un déjeuner ou d'un pique-nique, une étiquette de vin, une recette notée sur un coin déchiré de nappe en papier. D'une balade dans les magasins, un échantillon de tissu, une jolie carte de visite, un ruban… Dans cette entreprise, il faut faire feu de tout bois. C'est la diversité, la spontanéité, l'incongruité, la naïveté, qui font tout le charme de l'affaire. Seul « matériel » à prévoir : des crayons, noirs et de couleurs, des pastels gras, un tube de colle, du papier gommé pour les plantes séchées *(voir p. 67)*, une paire de ciseaux, mais aussi, au choix, encres, aquarelles, pinceaux, plumes, etc. Tout un petit matériel qui tiendra facilement dans un panier laissé à la disposition de tous.

B comme buis

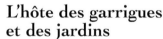

Avec ses petites feuilles toujours vertes et son impressionnante longévité, le buis est le parfait emblème d'un mythe méditerranéen : celui du jardin éternel dont les arbres ne perdent jamais leurs feuilles.

L'hôte des garrigues et des jardins

On le rencontre à l'état sauvage dans les garrigues claires, à mi-ombre. Il peut atteindre, en cinquante ans, 6 m de hauteur. Cet arbuste est aussi présent dans presque tous les jardins du Sud où on l'utilise, depuis des siècles, pour border allées et massifs, souligner un bassin ou une statue, réaliser motifs et entrelacs. Ainsi au château d'Ansouis, les buis, dont certains ont plusieurs siècles, sont-ils taillés en boules et autres topiaires. Sur les terrasses, ils dessinent d'agréables broderies. Dans le jardin de La Gaude *(photos ci-contre)*, les parterres de buis (restaurés) reprennent le tracé d'un labyrinthe, sur le modèle de ceux que l'on aimait composer, au compas, aux XVIIe et XVIIIe siècles. Quant aux parterres du parc de La Violaine, près d'Aix, ils ont été plantés au milieu du XVIIIe siècle.

Des boutures pour les bordures

Très rustique, le buis pousse sous presque tous les climats d'Europe, à condition de lui éviter des situations extrêmes : trop humides, trop brûlantes ou trop ombragées. Pour le multiplier à moindre frais, il suffit de prélever, au début de l'automne, des boutures de 15 cm de long et de les laisser s'enraciner dans un mélange de terre et de sable, maintenu humide. Au printemps suivant, on repiquera les pousses racinées dans un coin régulièrement arrosé du potager ou du jardin, à mi-ombre. Les jeunes buis seront prêts à composer une (petite) bordure dès l'automne.

Initiale en buis

Il vous faut :
• 1 pinceau,
• de la colle vinylique à bois.

Récolter quelques branchettes de buis. De retour à la maison, les effeuiller et faire sécher les feuilles sous une presse ou une pile de gros livres. Compter plusieurs jours.
Sur une feuille de papier ou sur la couverture de « L'album des vacances », dessiner au crayon une initiale choisie qui pourra être agrandie à la photocopieuse puis décalquée sur la page. À l'aide du pinceau, encoller les cinq premiers centimètres de la lettre (sur le papier). Poser les feuilles une à une, en écailles. Continuer, de 5 cm en 5 cm. S'assurer qu'aucune trace de colle n'est apparente. Quand le travail est terminé, mettre la feuille sous presse pendant au moins une journée.

Un herbier pas à pas

Pour conserver un peu de la riche et odorante flore de Provence, lancez-vous dans la réalisation d'un herbier. Suivez nos conseils et vos balades prendront un air naturaliste qui réjouira petits et grands.

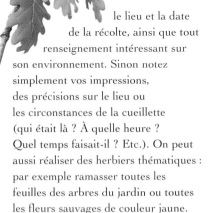

La récolte

Récolter les fleurs et les herbes de préférence le matin, mais après l'évaporation de la rosée. Dans les herbiers des botanistes, les plantes sont collectées entières, avec leurs racines, leurs feuilles, leurs fleurs et, si possible, leurs graines. L'intérêt est évidemment plus scientifique qu'esthétique.

L'identification

Pour identifier les plantes, aidez-vous d'une flore locale ou plus générale, comme celle de Gaston Bonnier, rééditée chez Belin (notamment *Les Noms des Fleurs*). Penser à étiqueter la plante rapidement pour éviter les erreurs. Sur l'étiquette, il faut mentionner le nom scientifique (latin) de l'espèce, son nom vulgaire, le lieu et la date de la récolte, ainsi que tout renseignement intéressant sur son environnement. Sinon notez simplement vos impressions, des précisions sur le lieu ou les circonstances de la cueillette (qui était là ? À quelle heure ? Quel temps faisait-il ? Etc.). On peut aussi réaliser des herbiers thématiques : par exemple ramasser toutes les feuilles des arbres du jardin ou toutes les fleurs sauvages de couleur jaune.

Le séchage

Pour faire sécher la plante, la disposer, bien à plat, entre des feuilles de papier journal. Procéder de même pour toutes les plantes cueillies. Puis superposer les feuilles de journal et les presser à l'aide de gros livres et de poids. Il existe dans le commerce des presses en bois, avec intercalaires en carton, serrées par des vis papillons. Elles présentent l'inconvénient d'être d'un format souvent trop petit. Mais il n'est pas très difficile d'en réaliser un sur le même modèle dans une taille supérieure (*voir encadré ci-contre*). Dans tous les cas, il faut changer

Pour fabriquer une presse

Il vous faut :

• 2 planches en contreplaqué
d'environ 35 x 45 cm et de 16 mm
d'épaisseur,

• 6 boulons de 10 cm de longueur,

• des écrous papillons de 5 mm
de diamètre.

Percer chaque planche aux quatre
angles et au milieu de chaque
longueur (côté à 45 cm),

à 3 cm du bord. Il est prudent
de percer les deux planches ensemble
afin que les trous tombent bien
en face les uns des autres.

On pourra intercaler des rectangles
de carton (28 x 44 cm) entre
les feuilles de papier journal.
Les faces extérieures de la presse
seront éventuellement peintes,
vernies ou décorées, selon
l'inspiration.

Pour faire un herbier

Il vous faut :

• 1 sécateur, des ciseaux
ou un couteau bien affûté,

• du papier journal,

• des étiquettes,

• des poids,

• du papier blanc ou kraft gommé,

• des feuilles de papier pour herbier
(chez Boubée ou Deyrolle, à Paris.
Tél.: 01 47 07 53 70 et 01 42 22 30 07

le papier chaque jour, surtout pour
les plantes ayant un feuillage charnu
ou des tiges épaisses, jusqu'au séchage
complet des échantillons.
Patience, l'opération prend toujours
plusieurs jours, voire un mois.

L'étiquetage

Une fois la plante parfaitement
sèche, la poser sur une feuille
de papier à herbier. La fixer avec
de petites languettes découpées dans
du kraft (ou du papier blanc) gommé
et humidifiées à l'éponge. Dans ce
même papier, on pourra confectionner
les étiquettes.

L'Harmas de Fabre

J.-Henri Fabre en observation dans son cabinet de travail

Près d'Orange, à Sérignan du Comtat, l'Harmas de Jean-Henri Fabre (1823-1915) vante la mémoire d'un génie aux talents multiples. Célèbre entomologiste, botaniste, naturaliste, inventeur, écrivain (auteur de cent-douze livres), peintre, poète, musicien et numismate, cet homme fascinant a accumulé une œuvre immense. La visite de son cabinet de travail, de l'ancien cellier où sont rassemblées trois cents des sept cents aquarelles de champignons qu'il peignit en sont la preuve.

Le cabinet du « Virgile des insectes »

La présence du maître est encore palpable dans le cabinet de travail qui réunit au milieu de ses objets personnels, le fruit de quinze heures de labeur quotidien durant plus de soixante ans. Les vitrines regorgent de fossiles, coquillages et minéraux patiemment collectés, étudiés et numérotés. Au-dessus, les soixante-sept volumes de son colossal herbier sont impressionnants ; on ignore encore, faute de moyens et de temps, le nombre d'espèces répertoriées lors de ses expéditions françaises et corses. Le recensement des quatre premiers volumes donne cependant une petite idée du travail effectué : plus de cinq cents espèces de plantes y ont été classées. Sur les murs, une partie de ses collections entomologiques est exposée : coléoptères et hyménoptères voisinnent avec sa ruche d'observation des osmies (abeilles solitaires, *photo de gauche*) et son aquarium qu'il appelait sa « *mare vitrée* ».

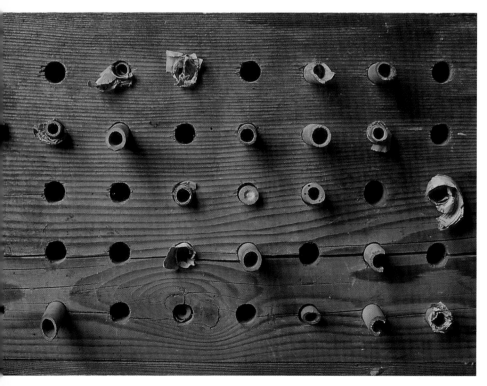

Un jardin extraordinaire

La plongée dans l'univers fascinant de Fabre continue avec la découverte de son jardin. La propriété achetée par Jean-Henri Fabre n'était au départ qu'une simple friche, d'où l'origine du nom Harmas.

Le naturaliste commença par faire de ce « *coin de terre abandonnée, stérile, brûlée par le soleil* », un jardin d'agrément planté d'arbres fruitiers à l'intention de ses enfants. Il le transforma peu à peu en un vaste terrain d'expérimentation plantant cèdre de l'Atlas, pin noir de Corse, calocédrus d'Amérique, chêne du Liban, sapin d'Espagne, buis des Baléares et arbousiers en grand nombre, sans compter les plantes aromatiques, tinctoriales ou médicinales. Aussi le jardin que l'on peut voir aujourd'hui n'est-il pas un modèle d'art paysager mais plutôt un vaste lieu sauvage où plus de huit cents variétés ont été plantées là où elles s'acclimataient le mieux. Ici, c'est la nature qui décide, mais sous l'impulsion donnée par l'homme. Jean-Henri Fabre planta lui-même les grands arbres que vous voyez. Puis, après une longue période d'abandon, ses successeurs, botanistes tout aussi passionnés, prirent la relève.

Le terrain couvre une petite superficie, à peine un hectare et pourtant on pourrait s'y perdre. Coins et recoins, entre bassin et mare, entre pin d'Alep et bambous encouragent les vagabondages, les allées et venues à la découverte de la flore méditerranéenne.

L'Harmas de Jean-Henri Fabre
84830 Sérignan du Comtat ;
Tél. : 04 90 70 00 44.
Ouvert t.l.j. sauf mardi,
de 9 à 11 h 30 et de 14 à 18 h.

Dénicher un bel herbier

Les herbiers étaient très en vogue au XVIIIᵉ siècle, citons simplement ceux de Jean-Jacques Rousseau et de Lamarck, et se trouvent aujourd'hui dans les boutiques de chine. Si vous rêvez de dénicher un herbier ancien, soyez vigilant. Vérifiez avant tout que le support papier n'a pas été rongé par les parasites.

Assurez-vous ensuite que les indications portées sous la plante soient précises : lieu, date de la récolte et nom du botaniste doivent être mentionnés. Tous ces critères sont déterminants pour sa valeur. Sachez également qu'un herbier est d'autant plus coté s'il rassemble des plantes de régions peu explorées.

Balade

Pour les apprentis naturalistes
En quittant l'Harmas, suivez les traces de Fabre en empruntant l'un des deux sentiers botaniques balisés à Serignan ou à Uchaux.
Ne partez pas sans emporter un très joli petit livre (en vente à l'Harmas) : il comporte une description de soixante-quatre plantes que vous rencontrerez en chemin ainsi qu'un cahier où vous pourrez noter vos observations personnelles.

Pour le jardin

C'est un jeu très amusant que de recréer dans son jardin, un mini-coin de Provence. Pour cela, rien de plus facile : il suffit de récolter les graines à maturité, dans la nature comme dans les jardins, à condition d'en avoir demandé la permission !

Sachets de graines

Les graines recueillies seront immédiatement ensachées – de préférence dans des sacs en papier. Il faut noter sur celui-ci le nom de la plante et la date de la récolte, ainsi que toutes les indications utiles à sa culture comme l'exposition et la nature du sol. Les graines seront semées en terrines ou en godets individuels le plus rapidement possible. On maintiendra la terre humide jusqu'à la germination. Le succès est assuré avec les graines de tournesol, de coquelicot ou de pavot.

Boutures habillées

Les promenades dans la nature sont aussi l'occasion de prélever ici ou là quelques boutures. Certaines plantes se multiplient très facilement par ce moyen. Il faut se munir d'un canif bien tranchant ou d'un sécateur de poche, d'un concombre et de plusieurs petits sacs en plastique. Lorsque la bouture est prélevée (en règle générale, une pousse terminale d'environ 10 cm, si possible non fleurie, plus longue pour un arbuste), coupez le concombre en plusieurs tronçons. Puis piquez la bouture dans ce légume, source d'humidité. Elle conserve ainsi toute sa fraîcheur. À l'arrivée, elle n'aura pas souffert de la chaleur et sera prête pour être « habillée ». L'opération consiste à enlever les feuilles du bas, à réduire, aux ciseaux, la surface des feuilles sommitales (pour les plantes ayant un feuillage important) et à recouper en biseau net la base de la tige. Pour aider la nature, on pourra saupoudrer l'extrémité de la tige d'un peu d'hormones de bouturage (vendues dans les jardineries). Il ne reste plus qu'à ficher la bouture dans un godet rempli de terreau propre, à tasser la terre autour de la tige et à arroser en pluie. On gardera la terre humide. La formation des racines diffère selon la plante mais on peut souvent transplanter la bouture déjà bien racinée au bout d'un mois.

Canditates de choix

Parmi les plantes vivaces qui se prêtent bien au bouturage, citons le *Phlomis fruticosa*, ou sauge de Jérusalem, et le *Senecio greyi*, tous deux à feuillage gris-vert et fleurs jaunes, habitués des jardins méditerranéens mais poussant très bien sous presque tous les climats français (sauf très humides et très froids en hiver). Les lavandes, les sauges, les lauriers-roses, les armoises, les thyms, les cistes, « prennent » également presque à coup sûr. Pour les succulentes (comme les orpins ou sedums, les joubarbes, les agaves), qui ont un système racinaire peu développé, une bonne solution consiste à prélever, avec un peu de terre, les « bébés-plantes » qui poussent contre le pied-mère. On les transportera dans un sac en plastique fermé pour éviter tout dessèchement. Et on les replantera, en godets remplis d'un mélange de terreau et de sable, le plus vite possible.

Collection de terres et d'ocres

Si vous aimez les couleurs des ocres de Roussillon, emportez un peu de leurs pigments chez vous. Pour vous aider à remettre en scène ce matériau quelque peu oublié, les ateliers proposés par l'usine Mathieu dévoilent le savoir-faire des artisans locaux.

L'ocre, une histoire ancienne

Dans le Vaucluse, le village de Roussillon doit sa renommée à ses falaises d'ocre aux reliefs inouïs et aux couleurs éblouissantes.
Du jaune au violet, du blanc au rouge le plus vif, toutes les nuances sont dans la nature et se retrouvent sur les murs des maisons imprégnés des couleurs de la terre.
L'ocre, exploité à l'époque romaine, fut redécouvert à la Révolution. Il se développa à la fin du XVIIIe siècle et connut son apogée entre 1919 et 1940. La production a chuté depuis : une seule usine est encore en exploitation, la Société des Ocres de France, qui produit 2 000 tonnes de pigments par an de douze couleurs différentes (*pour visiter cet établissement, s'adresser à l'Usine Mathieu*).

Du sédiment à l'ocre rouge

Constitué à partir de sédiments marins (qui dateraient de 200 millions d'années, à l'époque où la mer baignait la Provence), l'ocre est un

mélange d'argile et de sables colorés par des oxydes de fer. Après que les sables (80 %) ont été séparés de l'ocre, le minerai décante dans des bassins sous l'effet du soleil (à voir absolument au printemps), il sèche pendant un mois puis est broyé jusqu'à l'obtention d'une poudre fine. La cuisson dans un four à 550° permet de transformer l'ocre jaune, le seul exploité, en ocre rouge.

Visite

« Usine » à pigments

Pour suivre la transformation
du minerai en pigment, il faut visiter
l'Usine Mathieu. Cette ancienne
exploitation d'ocre à ciel ouvert a été
réhabilitée progressivement
pour sauvegarder et promouvoir
des savoir-faire traditionnels.
L'association OKHRA, présidée
par Mathieu Barrois, un passionné
des pigments, y organise toute l'année
des ateliers d'une journée. L'amateur
peut s'initier aux techniques
de décoration murale avec des artisans,
maçons, plâtriers et décorateurs.
Au programme : la technique
de la fresque, les enduits décoratifs,
les badigeons, glacis et patines.
Sur place, une boutique-librairie
propose la documentation
et les matériaux nécessaires.

**Conservatoire des ocres
et pigments appliqués
Usine Mathieu**
D 104, 84220 Roussillon ;
Tél. : 04 90 05 66 69.
*Ouvert t.l.j. sauf samedi matin
de mars à novembre, de 10 à 18 h.*

Collection pigmentée

Il vous faut :

• des petits pots en verre,
• des petits sacs en cellophane,
• des étiquettes,
• un tamis,
• de la colle à bois (comme Isobois).

Au cours de promenades
(mais, attention! dans les carrières
en exploitation comme celles de
Roussillon, il est interdit de prélever
le moindre gramme d'ocre), récolter
des échantillons de minéraux
ou de terre, si celle-ci est très colorée.
Les mettre ensuite dans les petits sacs
étiquetés immédiatement (noter
la provenance le plus précisément

possible). Une fois à la maison,
faire sécher l'échantillon. Le réduire
en poudre au pilon et le tamiser
(à défaut de tamis, un bas usagé peut
faire l'affaire), puis le verser dans
un pot en verre en inscrivant le nom.
Pour réaliser des échantillons
de couleur, il faut mélanger
une pincée de poudre avec de la colle
diluée. En revanche, on trouvera
des petits sacs de pigments chez
les marchands spécialisés, notamment
aux **Établissements Chauvin**
Route de Viton, 84400 Apt ;
Tél. : 04 90 74 21 68 ;
chez **Ocrement dit, 84220 Roussillon ;**
Tél. : 04 90 05 73 43 ;
et à l'**Usine Mathieu.**

Couleurs locales

Il y a le jaune, d'abord. L'ocre des façades qui s'écaillent au soleil, l'or éblouissant des tournesols que l'été grille sans pitié, celui des citrons de Menton, acide et frais, et le jaune si paisible des courtepointes teintes à la gaude. Il y a les rouges. Il y a les verts. Il y a les bleus. Et le mauve pimpant des « petits violets » que l'on dévore tout crus ; la cuirasse sombre et brillante des aubergines et le gris bleuté des lavandes. Il y a les pourpres glorieux de Gargas et de Roussillon. Il y a le blanc aveuglant des calcaires et celui, plus doux, des chevaux de Camargue ; le noir des taureaux et celui des olives bien mûres qui résistent à l'hiver ; le rose de l'ail, le vermillon des coquelicots… Il y a toutes les couleurs du sud et de la vie, mais, par dessus tout, la lumière, cette vibration qui retint Van Gogh à Arles, Signac à Saint-Tropez, Matisse à Vence, Picasso à Vallauris, Cézanne sur les chemins de la Sainte-Victoire…

« Regardez donc la lumière sur les oliviers, ça brille comme du diamant. C'est rose, c'est bleu… Et le ciel qui joue à travers, c'est à vous rendre fou. »

Auguste Renoir.

« Sur la campagne de Provence
Règne un pétale de pervenche
Ce jour bleu de cendres vaut nuit
Qui pèse sur la Provence. »
Francis Ponge, *La Mounine*.

La pierre du Midi

Qu'elle soit gris clair et bien homogène, comme celle de la Roche d'Espeil, blanche, crayeuse et truffée de débris fossiles comme celle que l'on extrait des carrières de Lacoste et de Ménerbes, ou toute blanche et lisse comme à Oppède, la pierre du Midi doit son aspect et ses qualité à une mer ancienne, chaude et riche, qui recouvrait la région il y a… 25 millions d'années. Ce sont les sédiments déposés au fond de cette mer qui confèrent à la pierre ses nuances et ses textures différentes. Tantôt ambrée ou dorée comme si le soleil ne la quittait jamais, tantôt grise, mais avec douceur, ou blanche et lumineuse, cette « molasse » sert depuis la préhistoire à construire des tombeaux, des aiguiers et des bornes. Plus près de nous, on en a fait des bories ou des restanques, des encadrements de portes et de fenêtres. Ce calcaire, tendre à travailler, a la particularité de durcir à l'air, ce qui lui confère une bonne solidité.

L'art « picassiette »

Pot à la manière de Picassiette
Il vous faut :
- 1 pot de jardin en terre cuite,
- du ciment-colle,
- du ciment-joint
(celui des carreleurs),
- des pigments en poudre
(teinte au choix),
- des assiettes ou soucoupes
ébréchées,
- 1 spatule,
- 1 paire de gants fins,
- 2 récipients (cuvettes ou vieilles
casseroles).

En Provence, les débris d'assiettes cassées trouvent parfois des destinations inattendues. Rassemblés au hasard des couleurs et des tailles, ils peuvent en effet composer de belles mosaïques pour décorer et raviver sols, plafonds, meubles ou poteries de dessins bariolés. Bateaux en partance, étoile de mer azurée, fleurs et formes chatoyantes, ces parcelles d'assiettes recomposent une lumière toute provençale.
C'est pourtant à Chartres que Raymond Isidore, modeste balayeur de cimetière, rendit célèbre cet art du « picassiette » : il y transforma toute sa maison en un petit palais exotique et ruisselant de mosaïques faites à partir de seuls débris de vaisselle.
Dans les années 50, cet art gagna le Midi.

Recoller les morceaux

La première étape consiste à se procurer de la vaisselle sans valeur dans une gamme de coloris choisie. On en trouve facilement chez les brocanteurs, à bas prix dès qu'elle est ébréchée ou fêlée.
Pour la casser convenablement, l'idéal est de disposer d'une pince de carreleur. Sinon, il suffit d'emballer chaque pièce dans un sac assez épais et de la casser avec un maillet ou un marteau, en morceaux de taille appropriée à celle du pot à recouvrir. Trier les morceaux en éliminant ceux qui sont mal venus. Mélanger le ciment-colle avec un peu d'eau jusqu'à obtenir une pâte souple mais pas trop liquide. L'étaler sur le pot avec une spatule en une couche de 4 à 5 mm d'épaisseur maximale. Procéder par petites zones. Placer les morceaux de faïence sur ce ciment en appuyant légèrement pour les faire adhérer. Il faut éviter de le faire déborder sur la faïence. Si cela se produit, nettoyer rapidement avec une éponge humide. Recouvrir ainsi toute la surface du pot. Laisser sécher une journée. Le lendemain, préparer le ciment-joint selon les indications du fabricant. Quand il est prêt, lui ajouter des pigments de couleur (choisir la teinte en fonction des coloris de la faïence). Intensifier la teinte progressivement en augmentant les pigments jusqu'à la nuance souhaitée. Étaler cette préparation à la main (avec des gants) sur toute la surface du pot en recouvrant la faïence, de manière à combler parfaitement tous les interstices. Ce ciment doit affleurer la surface de la faïence. Quand tout est bien couvert, essuyer rapidement tous les morceaux de faïence avec une éponge humide. Laisser sécher, loin d'une source de chaleur, pendant 24 heures.

Chiliennes provençales

oici deux bien jolies manières de célébrer l'été provençal à travers deux de ses emblèmes : le figuier et la cigale. Ces deux dessins (*dont les pochoirs sont donnés pages suivantes*) pourraient également composer une frise tout autour d'une chambre, décorer des rideaux, des coussins, un paravent… Une unique cigale peinte sur un volet ferait un charmant clin d'œil aux traditions.

Décor au pochoir

Il vous faut :

- toile à peindre (Rougier & Plé),
- peintures pour tissu Textil (Lefranc-Bourgeois),
- Polyphane adhésif (Rougier & Plé),
- 1 brosse à pochoir de 13 mm,
- 1 cutter,
- Médium Textil (facultatif).

Petite méthode

Reporter le motif du pochoir sur une feuille format A4. Il peut être préalablement agrandi ou rétréci à la photocopieuse. Pour peindre les deux chaises longues ci-contre, on peut prendre un pochoir de 21 cm (hauteur du motif) pour la feuille de figuier et de 23 cm pour la cigale. Coller la feuille A4 avec le motif sur une feuille de Polyphane et évider la forme à pocher à l'aide du cutter. Préparer le tissu aux dimensions de la chaise longue. Ourler les deux longueurs. Garder une chute pour les essais. Positionner le pochoir aux emplacements voulus et tamponner avec la brosse chargée de couleur. Pour la cigale, on peut utiliser du brun n° 103 ; pour la feuille de figuier le vert n° 558. Faire un essai avant de se lancer !

Il est bien évident que la cigale est plus délicate à découper que la feuille de figuier. Les débutants commenceront donc, de préférence, par cette dernière. Les ailes de la cigale peuvent être réalisées dans une teinte différente (attendre que la première couleur soit bien sèche) ou dans la même teinte mais plus transparente.

Utiliser dans ce cas du Médium Textil (avec une toute petite pointe de bleu n° 094) pour diluer la peinture.

Les cigales sortent de terre lors du solstice d'été.

Quand chantent les cigales

Les cigales provençales ne sont pas parmi les plus grosses du genre qui, elles, se rencontrent sous les Tropiques. Celles qui chantent (et nous enchantent) sous le ciel des garrigues, ne mesurent guère qu'entre deux et quatre centimètres. Elles sont brunes, presque noires parfois.

Les premières cigales sortent de terre vers le solstice d'été. Elles ne vivront qu'un mois, six semaines tout au plus. Le temps de pondre sur une tige, vers le milieu du mois de juillet, des œufs par douzaines, qui ressemblent à des grains de riz basmati. Vers la fin du mois d'octobre, des larves sortent de ces œufs et se laissent tomber au sol où elles s'enfonceront pour un long voyage souterrain de… quatre années.

« *Amante des buissons* » (A. Chénier), la cigale peut bien chanter tout l'été car elle ne craint guère la sécheresse qui terrasse et assoiffe le petit peuple des insectes. Son rostre lui permet en effet de perforer l'écorce des arbres pour en boire la sève, riche comme un sirop. Quant à sa chanson, imploration amoureuse des mâles, elle ne la laissera aucunement dépourvue lorsque l'hiver sera venu, quêteuse misérable aux portes des fourmilières, puisqu'elle aura, depuis longtemps, fini sa course.

85

Pochoirs

L es parties à évider
apparaissent ici en blanc.
Toutes les explications pour réaliser
ces pochoirs sont fournies
pages précédentes.

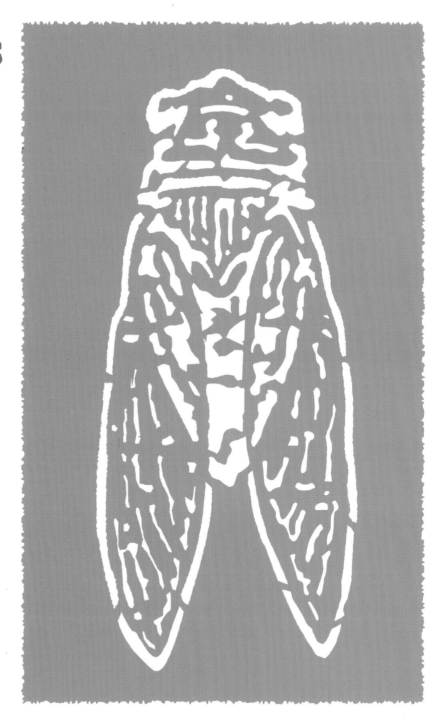

Bleu de Nîmes

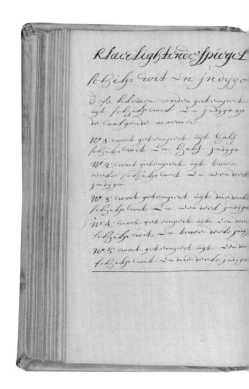

A u XVIIᵉ siècle, une toile très solide, le bleu de Nîmes, franchit les frontières. Les tisserands de l'époque ne pensaient certainement pas que cette modeste étoffe deviendrait un jour célèbre. Trois siècles plus tard, le *blue jean*, taillé dans une toile teintée à l'indigo et appelée denim, est le vêtement le plus porté au monde.

De la toile de Nîmes au denim

Il est difficile de trouver la trace du denim car on dipose de peu de textes sur les « petites étoffes ». On sait cependant qu'au XVIIᵉ siècle, les manufactures de Nîmes (grand centre textile depuis le Moyen Âge) importent de l'indigo et du coton pour fabriquer la serge. Cette toile tissée en biais, dont la chaîne est teinte en indigo, est réputée pour sa solidité et sa couleur bleu chiné. Utilisée pour les voiles des navires ou les bâches, elle est exportée dans toute l'Europe et aux États-Unis parmi les « articles de Nîmes ». C'est là-bas qu'elle prend ce nom déformé de denim.

La ruée vers l'or

En 1853, en pleine époque de la ruée vers l'or, un jeune Juif originaire de Bavière débarque à San Francisco. Il commence par vendre des toiles de bâche en denim puis a l'idée de génie de tailler dans ce tissu très résistant un vêtement adapté à la vie des pionniers. Le nom du petit immigrant juif restera à jamais célèbre : Lévi Strauss vient de créer un vêtement révolutionnaire qui, pour la première fois, sera porté dans le monde entier, sans distinction de sexe, de race, d'âge ou de classe sociale.

Lettre et échantillons de soie teints au bleu de Prusse et à l'indigo à la manufacture des Gobelins (1813).

Ci-contre, à gauche : *dans* Le Miroir éclairé de la peinture, *de A. Boogert, ouvrage hollandais de 1692 traitant des couleurs à l'eau, quinze pages sont consacrées à l'indigo (Bibliothèque Méjanes).* À droite : *casaquin d'enfant de la fin du XVIIIe siècle (musée du Vieux-Nîmes).*

De l'indigo au bleu de travail

Au Moyen Âge, l'indigo est un bleu qui vaut de l'or. Issues de matières colorantes naturelles, les couleurs sont un luxe réservé aux plus beaux vêtements. Mais les progrès de la chimie au XVIIIe siècle révolutionnent le textile et les habitudes vestimentaires. La découverte de l'indigo synthétique marque l'apparition du bleu dans les vêtements populaires. Les capes des bergers de la garrigue ou les jupes des paysannes provençales abandonnent leurs couleurs sombres pour être taillées dans du bleu de Nîmes. Ce bleu devient alors la couleur du vêtement de travail.

Musée du Vieux-Nîmes
Place aux Herbes, 30000 Nîmes ;
Tél. : 04 66 36 00 64.

Vide-poches en jean

Il vous faut :
• de vieux jeans et des chutes de tissus divers,
• une machine à coudre,
• 1 pince à œillets (facultatif).

Récupérer les poches arrière des jeans usagés.
Découdre une seule couture des jambes, de façon à avoir un plus grand morceau.
Une fois tous ces morceaux préparés, les assembler de manière à constituer un rectangle d'environ 74 x 94 cm.
Sur ce rectangle, piquer les poches conservées ainsi que quelques carrés réalisés dans les chutes de tissus (à carreaux, à fleurs, etc.).
Doubler le rectangle en jean d'un autre tissu en posant les deux tissus endroit contre endroit. Piquer à 2 cm du bord sur 3 côtés. Repasser les coutures. Retourner. Repasser à nouveau.
Coudre le haut à la main.
Avec la pince, poser des œillets. Sinon, mettre des liens au fur et à mesure, dans l'ourlet du haut.
Il faut environ 3 m de ruban pour faire 5 nœuds simples.
Seulement 1,3 m pour réaliser 5 passants.

Lieux inspirés

Partez à la découverte de lieux secrets, charmants ou magiques. Maisons d'artistes ou de grands voyageurs, musées méconnus, châteaux ou chapelles, ces escapades étonnantes vous feront connaître une autre Provence.

Giono intime

Jean Giono demeure étrangement présent à Manosque, village « culte » de Haute-Provence. *Lou Paraïs*, la maison que Giono habita de 1929 à 1970 (dans laquelle vit toujours son épouse centenaire), offre au visiteur des souvenirs multiples et précieux du grand écrivain. L'impressionnante bibliothèque et le bureau du rez-de-chaussée témoignent d'une longue existence consacrée à ses deux passions : l'écriture et la lecture.

Le petit escalier à vis conduit à une pièce sous les toits, que Giono appelait « le phare ». Là venait se réfugier l'écrivain solitaire en compagnie de son ange fidèle, une statue dont il était tombé amoureux et dont il ne s'est jamais séparé. La triple vue sur Manosque, le Mont d'or et la vallée de la Durance est superbe. Une visite émouvante qui donne envie de lire ou de relire *Le Hussard sur le toit*, *Le grand Troupeau* ou *Un de Baumugnes*.
Lou Paraïs
Montée des Vraies Richesses,
04100 Manosque ; Tél. : 04 92 87 73 03.
Visite le vendredi, de 15 à 17 h,
sur rendez-vous.

L'atelier provençal de Renoir

Le souvenir de Renoir est à jamais associé à Cagnes-sur-Mer. C'est aux *Collettes*, propriété achetée en 1907 et dont le nom signifie petites collines, que le peintre installe son atelier, espérant que le soleil le soulagerait de ses rhumatismes. Au rez-de-chaussée, la salle à manger et le salon possèdent encore quelques pièces de son mobilier, des souvenirs et des objets personnels ainsi que dix de ses toiles. Au premier étage, l'atelier du peintre, d'une grande simplicité, conserve dans un désordre bon enfant, ses meubles et son matériel. C'est ici que l'artiste a travaillé jusqu'à son dernier souffle en 1919. Dans le parc, on peut admirer, dans la lumière qui les vit naître, douze de ses œuvres sculptées.

Les Collettes
06800 Cagnes-sur-Mer (1,5 km à l'est de la ville) ; Tél. : 04 93 20 61 07.
Ouvert t.l.j. sauf mardi, de 10 à 12 h et de 14 à 18 h.

L'impression des couleurs

Dans l'enceinte de l'hôtel particulier Souleïado, le musée Charles-Deméry (du nom du fondateur de la maison) raconte l'histoire de l'impression sur étoffe en Provence et notamment la tradition des indiennes. La visite de l'atelier d'impression à la planche et celle de « la cuisine aux couleurs », l'atelier des alchimistes (tous deux en activité jusqu'en 1978), nous plongent dans l'univers merveilleux des couleurs. Vous admirerez aussi de rares pièces de tissu, des piqués et boutis qui côtoient des châles d'Arlésiennes, des costumes traditionnels, des habits de lumière, des faïences provençales et des santibelli ainsi que plusieurs œuvres de Léo Lelée dans un décor et une mise en scène raffinés. Une riche évocation de la vie quotidienne en Provence !

Ci-contre : le parc planté d'oliviers millénaires et l'intérieur des Collettes.
Page de gauche : bouquetière en terre vernissée, XVIIIᵉ siècle (collection Charles-Deméry).

Service à thé en terres mêlées réalisé par Pichon au début du siècle. (collection Charles-Deméry).

Musée Charles-Deméry-Souleïado
39 rue Prudhon, 13150 Tarascon ; Tél. : 04 90 91 08 80.
Ouvert sur rendez-vous. Après la visite, n'hésitez pas à faire un tour à la boutique, ouverte du lundi au vendredi, de 9 à 12 h et de 14 à 18 h.

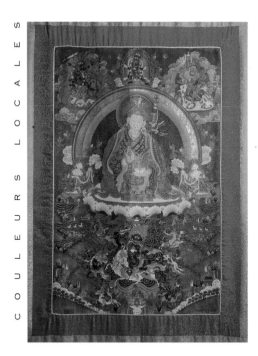

temple tibétain reconstitué. Le musée présente les souvenirs des pérégrinations de l'intrépide voyageuse à travers le monde et de superbes objets d'art orientaux (bouddhas, bols, *thankas*, etc.). Pour prolonger la magie de la visite, ne partez pas sans emporter un objet d'artisanat garanti tibétain.

Fondation Alexandra-David-Neel
27, avenue du maréchal Juin, 04000 Digne-les-Bains ; Tél. : 04 92 31 32 38. Visites guidées, de juillet à septembre, à 10 h 30, 14 h, 15 h 30 et 17 h. Durée de la visite : 1 h 15.
Vente d'artisanat tibétain (bijoux en argent, tapis, *thanka*, sacs et vestes tissés) mis en dépôt par des Tibétains. Des journées tibétaines sont organisées fin août.

Sous le signe du Tibet

La fondation Alexandra-David-Neel est installée dans la demeure que la grande exploratrice acheta en 1928 pour y créer *Samten-Dzong*, sa « forteresse de méditation ». Celle qui fut la première Européenne à entrer à Lhassa vécut ici de 1946 à sa mort, avec son fils adoptif, le lama Yongden. Cette maison d'architecture provençale vous plonge brutalement dans une atmosphère orientale ; ceux qui le souhaitent peuvent s'attarder dans le

de Moustiers, les peintures, dessins et objets d'art forment un ensemble très raffiné, élégante évocation de la vie aixoise à l'époque où le cousin de Louis XIV occupait la demeure. Aujourd'hui, cette paisible « campagne » est gagnée par la ville.
Pavillon de Vendôme
32, rue Célony, 13100 Aix-en-Provence ; Tél. : 04 42 21 05 78. Ouvert t.l.j. sauf mardi, de 10 à 12 h et de 14 à 18 h.

Une folie très Grand Siècle

Cette séduisante « folie », héritée du grand siècle aixois, fut édifiée en 1665 par Louis de Mercœur, duc de Vendôme. Modèle d'harmonie architecturale, le pavillon dispose d'une magnifique façade, parfaitement classique, et d'un grand balcon orné de deux atlantes. Il a été réhaussé au XVIIIe siècle d'un étage et surplombe un vaste jardin à la française. Le remarquable mobilier, les céramiques

Résurrection à la provençale

Cet ancien hôtel, habité pendant cinq siècles par la famille Baroncelli-Javon, fut construit en 1469. D'architecture gothique à l'origine, le palais fut remanié aux XVIIe et XVIIIe siècles et prit alors l'allure d'un hôtel particulier. Vendu au début du siècle à une société immobilière qui le dégrada considérablement, il fut sauvé par une collectionneuse avertie, Jeanne de Flandreysy. Pendant une trentaine d'années, elle travailla à sa restauration, y recréant une atmosphère à la fois italienne et provençale grâce à de nombreux objets, documents, meubles et peintures. Remarquez la collection de cloches accrochées aux façades de la cour intérieure ; chacune est dédiée à un poète.

Le palais du Roure
3, rue Collège du Roure, 84000 Avignon ; Tél. : 04 90 80 80 88. Visite le mardi à 15 h ou sur rendez-vous.

L'art d'être une femme

En mai 1997, à Grasse, capitale des parfums, les établissements Fragonard ont ouvert dans le magnifique hôtel de Clapiers-Cabris, le musée provençal du Costume et du Bijou. Dans une scénographie intimiste, une exceptionnelle collection privée de costumes et de bijoux anciens raconte la vie des Provençales aux XVIIIe et XIXe siècles. Belles paysannes, simples artisanes ou fières bastidanes parées de caracos, tabliers de soie, jupons en boutis, fichus d'indienne, dentelles fines, coiffes festonnées et croix en or composent un tableau superbe et coloré de la femme provençale.

Musée provençal du Costume et du Bijou
2, rue Jean-Ossola, 06130 Grasse ; Tél. : 04 93 36 44 65. Ouvert t.l.j., de 9 à 18 h 15.

Du XIe au XXe siècle

Les Arcs-sur-Argens est une ville médiévale. Allez vous promener dans le quartier du Parage et rendez-vous à la chapelle Sainte-Roseline. Dans ce monument classé du XIe siècle, les époques et les styles se mélangent. Vous admirerez les vitraux d'Ubac et de Bazaine aux couleurs magnifiées par le jeu du soleil, la fresque en mosaïque représentant le repas des anges de Chagall et les bronzes émouvants de Giacometti qui se recueillent sur la châsse de Sainte-Roseline.

Chapelle Sainte-Roseline
D 91 en direction de La Motte, 83460 Les Arcs-sur-Argens ; Tél. : 04 94 73 37 30 (O. T.). Ouvert t.l.j. sauf lundi, de 15 à 19 h.

Style « grand hôtel »

Au *Cintra*, le bar de l'hôtel *Nord-Pinus*, il fait bon s'attarder un moment autour d'un rafraîchissement. Pour Cocteau, cette authentique maison arlésienne est un « *hôtel qui a une âme* ». Anne Igou fait revivre ce lieu de légende, passage obligé des *aficionados*, *toreros* et artistes. Le bar évoque la *corrida* grâce à une belle collection d'affiches anciennes et les photos des années 50 rappellent les nombreuses personnalités qui ont fréquenté l'endroit : Picasso, Dominguin, Giono, Montand, Piaf et bien d'autres.

Hôtel Nord-Pinus
Place du Forum, 13200 Arles ;
Tél. : 04 90 93 44 44.

L'art contemporain au jardin

Dans la lumière de la campagne vençoise, le château Notre-Dame-des-Fleurs, bâtisse du XIXᵉ siècle aux allures de bastide, accueille une galerie d'art et un jardin

de sculptures. La magie des lieux et des œuvres se conjuguent et c'est dans l'intimité de la demeure, dans la chapelle du XIIᵉ siècle ou dans les allées du jardin que se succèdent des œuvres d'artistes contemporains comme Arman, Tinguely, César, Niki de Saint-Phalle, Combas, Segal, Cane, Boisrond, Lalanne, Schnabel, entre autres. Une galerie d'art inspirée et inspirante !

Galerie Beaubourg
Château Notre-Dame-des-Fleurs
2618, route de Grasse, 06140 Vence ;
Tél. : 04 93 24 52 00.
Ouvert t.l.j. sauf dimanche et lundi,
de 11 à 19 h.

Les chapelles de Cocteau et de Matisse

Joyaux de l'art sacré moderne, les chapelles Matisse, à Vence, et Cocteau, à Villefranche-sur-Mer, sont l'expression de la ferveur des deux artistes. Construite au XIVᵉ siècle, la chapelle Saint-Pierre a été décorée par Jean Cocteau en 1957 en hommage aux pêcheurs, ses amis, à qui elle appartient. Ses murs content des épisodes de la vie du saint, mêlés à des scènes figurant l'irruption du sacré dans le quotidien (*Les demoiselles de Villefranche* et *Le pélerinage aux Saintes-Maries-de-la-Mer*). À ce décor, agrémenté d'un entrelacs d'étoiles ou de triangles, véritable « guipure géométrique », s'oppose la sobriété de la chapelle dominicaine du Rosaire, conçue et réalisée par Matisse de 1947 à 1951. Ici tout est blanc à l'exception des vitraux dont les couleurs jaune, verte et bleue, se reflètent au gré du soleil sur les murs et le sol. Lieu de recueillement et d'émotion intense, cette chapelle était pour Matisse son « *chef-d'œuvre, un effort qui est le résultat* de toute une vie consacrée à la recherche de la vérité ».

Chapelle Saint-Pierre
Quai Courbet, 06230 Villefranche-sur-Mer ; Tél. : 04 93 76 90 70.
Visite t.l.j. sauf le lundi, de 10 à 12 h et de 16 à 20 h 30.

Chapelle du Rosaire
466, avenue Henri-Matisse, 06140 Vence ; Tél. : 04 93 58 03 26.

Visite tous les après-midi, sauf dimanche, lundi et jours fériés, de 14 h 30 à 17 h 30 ainsi que les mardis et jeudis matin, de 10 à 11 h 30.
Possibilité d'assister à la messe (le dimanche à 10 h, le mardi et le vendredi à 9 h) et aux offices des religieuses (laudes ou vêpres : se renseigner pour les horaires).

Verdure moyenâgeuse

En arrivant à La Napoule vous serez frappé par la silhouette du château néo-médiéval qui se dessine sur la colline, imposant au paysage ses tours et remparts crénelés. Bénéficiant d'un site admirable, le château a été construit sur les ruines du monument des Villeneuve, acquises en 1918 par les artistes américains Henry et Mary Clews. Il fut restauré selon leur interprétation très personnelle du Moyen Âge : chaque élément architectural fut réédifié avec originalité dans un curieux mélange de styles. Le cloître est orné de sculptures grimaçantes, la cour, d'un « dieu de l'humour mystique ». Dans le même esprit, le magnifique parc, composé d'un jardin romain et d'un jardin au puits vénitien, est émaillé de sculptures fantastiques. Vraiment insolite !

Château de La Napoule
Avenue Henry-Clews, 06210 Mandelieu-La Napoule ; Tél. : 04 93 49 95 05.
Ouvert t.l.j., sauf mardi, à 15 h et à 16 h.
Visite guidée du château d'une heure, visite libre du jardin.

Répertoire grec

Reconstitution splendide sur le modèle des villas édifiées à Délos au Siècle d'or de Périclès, l'imposante villa Kérylos (dont le nom signifie hirondelle de mer) fut commandée au début du siècle par Théodore Reinach (1860-1928), archéologue, helléniste et mécène fortuné. La richesse des matériaux (marbres de Carrare et de Sienne, opale, albâtre, bronze, stucs, etc.) sert un vaste répertoire décoratif (fresques, mosaïques au sol, statuaires, colonnes ioniques ou doriques, objets

d'art, mobiliers, étoffes, vaisselles, etc.). Construite à Beaulieu-sur-Mer par Emmanuel Pontrémoli, entre 1902 et 1908, Kerylos s'élève en face du Cap Ferrat. La villa a été léguée à l'Institut de France en 1928 et classée monument historique en 1967.

Villa Kérylos
Fondation Théodore-Reinach-Institut de France, 06310 Beaulieu-sur-Mer ; Tél. : 04 93 01 01 44.
La villa et le jardin qui l'entoure peuvent être visités du 15 mars au 1ᵉʳ novembre : ouvert t.l.j., de 10 h 30 à 12 h 30 et de 14 à 18 h ; en juillet et en août, de 10 à 18 h.

Visites vertes

La Provence invite à visiter ses jardins. Bénéficiant d'un climat particulièrement favorable, elle abrite une variété végétale infinie qui la rend unique aux amateurs de parcs et autres amoureux des plantes. N'hésitez pas à partir à la découverte des jardins provençaux, qu'ils soient prestigieux ou secrets.

La demeure des arômes

Au fond de la vallée du Toulourenc, dans une magnifique bâtisse rurale du XVIIIe siècle, la ferme Saint-Agricol *(photo du haut)* est un véritable laboratoire de la nature. Sur quelque cinq hectares sont cultivées plus de cinq cents variétés de plantes aromatiques, médicinales et à parfum. Vous découvrirez les jardins-conservatoires, les serres de multiplication, la technique d'extraction des huiles essentielles et la distillation des eaux florales. Terminez la visite par le sentier botanique tracé sur les contreforts du mont Ventoux.
La ferme Saint-Agricol
84390 Savoillans ;
Tél. : 04 75 28 86 57.
Ouvert t.l.j., de 10 h 30 à 13 h
et de 15 h 30 à 19 h 30.
Durée de la visite : 1 h 30 environ.

Une élégante simplicité

Près des faubourgs de la ville de Sorgues et des vignobles de Châteauneuf-du-Pape, les jardins du château de Brantes *(photo de gauche)* sont un lieu serein où il fait bon se rafraîchir. Promenez-vous dans ces jardins d'inspiration tout à la fois provençale, italienne et française, admirez le magnolia de 1820 et le grand bois de platanes. Des allées de buis taillés et de lauriers-tins

vous conduiront jusqu'au potager à l'ancienne, à la roseraie et à la chapelle.
Les jardins du château de Brantes
84700 Sorgues ; Tél. : 04 90 39 23 91. Ouvert les samedis, dimanches et jours fériés, de 15 à 18 h. Visite guidée d'une heure toutes les heures.

Sur la terre de Nostradamus

L'allée de platanes séculaires qui conduit au ravissant château de Roussan, bastide du XVIIIᵉ siècle transformée en hôtel, plonge immédiatement le visiteur dans une atmosphère provençale. Le parc sauvage et romantique de six hectares est placé sous le signe de l'eau et de

l'ombre. Au gré des allées, on profite de la fraîcheur de la source, du bassin et de la pièce d'eau. On découvre l'orangeraie ainsi que la superbe serre, classée monument historique.
Château-hôtel de Roussan
Route de Tarascon, 13210 Saint-Rémy-de-Provence ; Tél. : 04 90 92 11 63. Le parc peut se visiter tous les jours. Chambres entre 460 et 600 F.

Ethnobotanique au prieuré de Salagon

Dans un site exceptionnel, le prieuré médiéval de Salagon (XIIᵉ siècle), géré par l'association Alpes de Lumière, offre au visiteur une église, un logis prieural, des bâtiments agricoles (plus tardifs) et surtout un extraordinaire ensemble consacré à l'ethnobotanique. Celui-ci se compose de trois jardins qui vous font découvrir des plantes oubliées ou inhabituelles *(photos ci-contre)*.

Le jardin médiéval

Ce jardin « d'histoires et de savoirs » comprend près de trois cents espèces différentes réparties en trois espaces majeurs : le potager, les carrés médicinaux et le jardin floral. Vous constaterez avec surprise que les légumes, aujourd'hui à l'honneur sur votre table : tomate, poivron, courge et courgette, haricot, pomme de terre, sont totalement absents du potager médiéval.

Les simples et les plantes villageoises

Il présente la flore cultivée près des maisons et celle que l'on trouvait au bord des chemins, rappelant la place essentielle des végétaux domestiques dans l'ancienne médecine rurale.

Le jardin des senteurs

Suivez, pour le plus grand plaisir des sens, le subtil parcours de découverte des aromatiques, des plantes à parfum et des plantes odorantes.
Conservatoire du patrimoine ethnologique de Haute-Provence
Prieuré de Salagon, 04300 Mane ; Tél. : 04 92 75 19 93. Ouvert t.l.j., de 10 à 12 h et de 14 à 19 h. On peut acheter les plantes aromatiques, médicinales et ornementales produites par la pépinière.

La passion des sauges

Pierre Jourdan est un fou de sauges. Il en propose plus de deux cents variétés, botaniques ou hybrides *(photos du bas)*. Dans un jardin de présentation, la plus grande partie de sa collection, « classée » aujourd'hui collection nationale, côtoie d'autres espèces méditerranéennes et subtropicales : plantes grimpantes, cassias, jasmins, hibiscus, etc. Travailleur passionné, Pierre Jourdan vient de déposer une demande pour faire également « classer » sa collection d'ancolies.

Pépinière de la Foux
781, chemin de la Foux,
83 220 Le Pradet ; Tél. : 04 94 75 35 45.
Ouvert t.l.j., sauf dimanche et jours fériés, de 8 h 30 à 12 h et de 15 à 19 h.

Sous le ciel méditerranéen

Le conservatoire du littoral, propriétaire du domaine du Rayol *(photo ci-dessus)*, propose une promenade d'une extrême richesse dans ce parc de plus de vingt-et-un hectares. Un parcours original organisé selon les conseils éclairés de Gilles Clément, co-auteur du Parc André-Citroën, à Paris, vous fait voyager à travers le monde grâce à une mosaïque de jardins de différents pays : Afrique du Sud, Australie, Nouvelle-Zélande, Chili, Californie, Asie, Amérique centrale. Pour la visite du jardin marin, inutile d'être un plongeur averti. Il suffit de savoir nager pour découvrir, parmi les posidonies, la faune et la flore sous-marines de Méditerranée.

Le domaine du Rayol
Avenue des Belges, 83820 Le Rayol-Canadel ; Tél. : 04 94 05 32 50.
Ouvert t.l.j. sauf lundi, de 9 h 30 à 12 h 30 et de 16 h 30 à 20 h.
Visites guidées : 1 h 30.
Concerts-promenades de musique classique les lundis, à 21 h, dans le domaine illuminé.

Dans un grand vent de fleurs

Assister à la cueillette du jasmin en été, c'est déjà pénétrer dans l'univers enchanteur et mystérieux du parfum. Admirez le spectacle des cueilleuses de jasmin aux paniers en osier attachés à la ceinture, puis celui des milliers de petites fleurs blanches qui s'entassent dans des corbeilles avant que l'on extraie leur fragrance. C'est juste après avoir été cueillies que les fleurs sont livrées à l'usine Chanel

de Pegomas : 400 kg de fleurs fraîches produisent un litre d'absolu (concentré de fragrance). L'exploitation horticole de monsieur Biancalana se visite en été ou en automne, quand le jasmin est en fleur, de mi-juillet à novembre.

Domaine de Manon
36, chemin du Servan, Plascassier, 06130 Grasse ; Tél. : 04 93 60 12 76. Visites t.l.j. en été, de 8 à 10 h. (pour le jasmin) ; du 15 mai au 10 juin, de 14 à 19 h (pour les roses).

Fêtes

Fête de l'Herboristerie
Le 14 juillet
Cité des herboristes, Saint-Étienne-les-Orgues ; Tél. : 04 92 73 02 50 ou 04 92 73 02 57.

Journées mondiales des huiles essentielles
Début septembre (3 jours).
Digne-les-Bains ; Tél. : 04 92 32 03 83.

La Provence à points comptés

Si le point de croix est tellement en vogue actuellement, c'est qu'il est à la portée de tous. Hommes, femmes, petits et grands, lancez-vous : c'est facile !

Ces modèles, créés spécialement pour *Un été en Provence*, peuvent être réalisés sur divers supports. Plus le tissu est fin, plus il faut d'attention et de soin. Les débutants choisiront donc, pour une première œuvre, une toile aida plutôt qu'un lin très serré. Les adresses de magasins où se procurer, en Provence, fils moulinés et autres fournitures sont données p. 138.

Attention !
Les couleurs des diagrammes ont été volontairement accentuées ou modifiées de manière à rendre les contrastes plus visibles. Elles ne correspondent donc pas exactement aux teintes réelles des broderies.

Instructions générales

Le point de croix à points comptés s'exécute en calculant les carrés du dessin pour les broder directement sur le tissu vierge, sachant que chaque carré équivaut à un point de croix. Il faut broder les points de croix toujours dans le même sens. Pour les motifs centrés, commencer l'ouvrage par le milieu et non par un côté. On trouve le point central en pliant le tissu en quatre. Quant au milieu du dessin, il se situe au point d'intersection des flèches. Le tire-fils s'utilise sur des toiles rop fines pour qu'il soit possible de compter les fils. Le morceau de tire-fils doit être bâti sur le tissu.

Utiliser un tambour pour broder afin de ne pas trop tirer sur le fil. Quand le travail est fini, mouiller le tire-fils, afin d'ôter la colle qui maintient les fils entre eux. Laisser sécher puis retirer les fils du tire-fils un à un.

La broderie restera seule sur la toile. Pour le point de croix, choisir une aiguille à bout rond, taille 24 ou 26 sur les étamines de lin et les toiles aidas ; une aiguille à broder à bout piquant pour le tire-fils. Quand l'ouvrage est terminé, le laver délicatement à l'eau froide, puis le repasser humide, sur l'envers.

Point arrière.

Point de croix.

Coussin entomologique

À l'heure de la sieste, l'air bruit d'élytres froissés, de fleurs butinées dans la rage d'un ciel trop bleu. Ferveur des insectes pris dans les rets de l'été. Sous l'amandier, on brodera, dans tous les dégradés de vert et de brun, quelques coléoptères rondouillards. En frise ou chacun sur un coussin. Utiliser une toile aida écrue 5 points au centimètre et broder avec 2 fils de mouliné DMC. Un carré sur le tissu équivaut à un carré sur le dessin. Les points arrière sont à broder avec 2 fils : les verts, en 500, les noirs, en 310, les rouges, en 801, les bleus, en 3799.

Instructions générales p. 101.

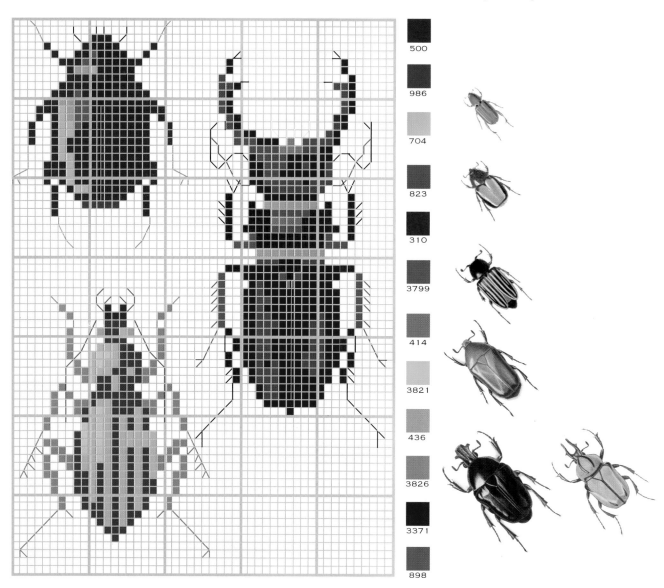

500
986
704
823
310
3799
414
3821
436
3826
3371
898

L'invitation en Provence

Voici un motif tout simple qui se brode rapidement et qui permet de composer une carte charmante pour inviter des amis ou les remercier. Il suffit de choisir un joli papier légèrement épais, d'y découper un rectangle de 15,5 x 32 cm et de le plier en trois afin de le mettre aux dimensions d'une enveloppe standard. On peut également réaliser une enveloppe dans le même papier. Pour cela, le plus simple est de décoller une enveloppe ordinaire et de reporter sur le papier choisi les contours à découper puis à coller. Quant à la carte, on ouvrira, dans la partie centrale, une fenêtre à l'aide d'un cutter (ou même aux ciseaux). Positionner le carré de toile dans la partie centrale, de telle manière que la broderie soit bien centrée dans la fenêtre. La coller. Rabattre le volet de gauche sur la partie centrale et le coller également. La broderie est maintenant prise entre deux feuilles de papier. On écrira sur le volet de droite, à l'encre blanche si le papier est foncé. Utiliser une toile aida antique 5 points au centimètre et broder avec 2 fils de mouliné DMC. Un carré sur le tissu équivaut à un carré sur le dessin. Les points arrière sont à broder avec 2 fils en vert 501. Instructions générales p. 101.

« [...] ils couchaient au petit bonheur de la route, au fond d'un trou de rocher, sur l'aire pavée, encore brûlante, où la paille du blé battu leur faisait une couche molle, dans quelque cabanon désert, dont ils couvraient le carreau d'un lit de thym et de lavande. »
Émile Zola.

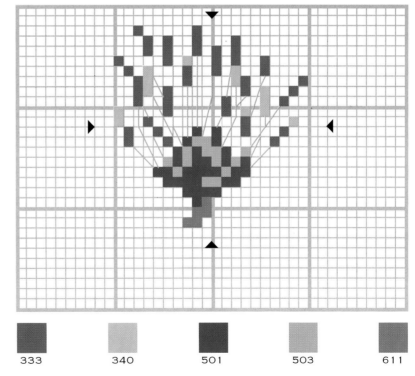

| 333 | 340 | 501 | 503 | 611 |

Sacs à herbes

Dans ces petits sacs, faciles à réaliser, on rangera à l'abri de la poussière les provisions de bonnes herbes : bouquets de thym ou de romarin, feuilles de laurier ou de sauge, qui sècheront tout doucement en parfumant l'air de la cuisine. Mais ces motifs peuvent aussi être brodés sur d'autres supports comme des serviettes de table. Utiliser une toile de lin bistre 5 points au centimètre et broder avec 2 fils de mouliné DMC. Faire la croix sur le croisement de 2 fils sur 2 fils. Les points arrière sont à broder avec 2 fils : les jaunes, en 503, les verts, en 520, les rouges, en 433. Instructions générales p. 101.

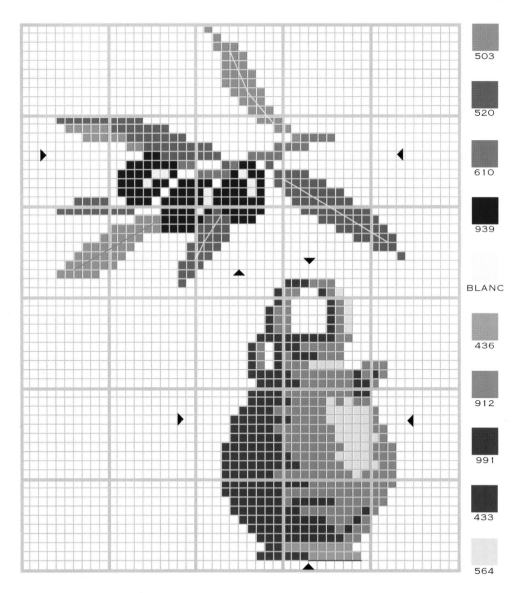

503

520

610

939

BLANC

436

912

991

433

564

Robe pour un été

On trouve sur les marchés toutes sortes de petites robes blanches ou de couleur unie, qui sont des supports parfaits pour une broderie d'été fraîche et gaie. Un T-shirt blanc pourrait également convenir. Ou un sac de plage tout simple. Utiliser du tire-fils 4 points au centimètre et broder avec 3 fils de mouliné DMC. Faire la croix sur le croisement de 2 fils sur 2 fils. Souligner la broderie en l'entourant d'un point de croix de la couleur de votre choix. Instructions générales p. 101.

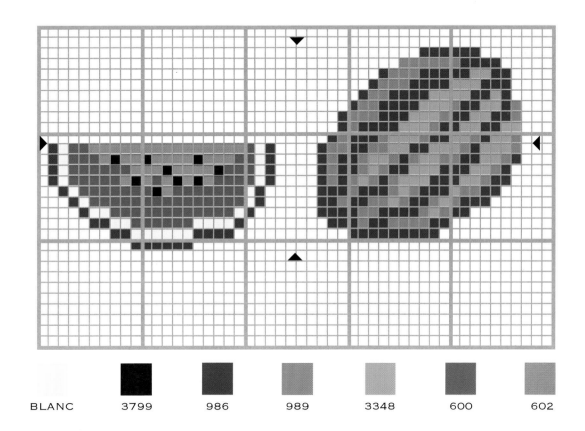

| BLANC | 3799 | 986 | 989 | 3348 | 600 | 602 |

« Et le jour de la fête on pouvait cueillir [...] les grandes pastèques vertes dont l'intérieur frais était de la couleur de la langue. »

Michel Butor, *Passage de Milan* (1954).

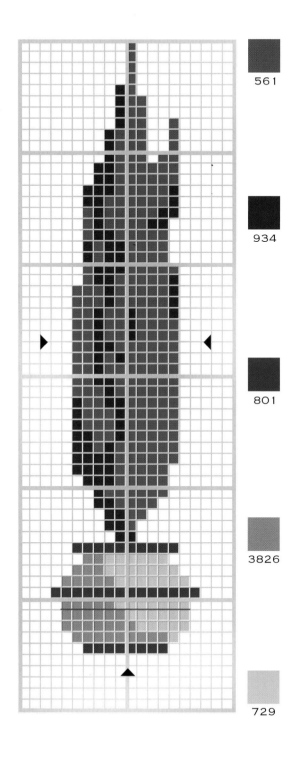

COULEURS LOCALES

561

934

801

3826

729

Marque-page

Symbole d'hospitalité, le cyprès est planté près des maisons provençales par groupe de trois : deux pour les hôtes, un pour souhaiter la bienvenue à celui que l'on accueille. Ici, il sert à marquer la page des bons livres qu'une rêverie interrompt, courte escapade dans un songe ou sieste à l'ombre parfumée des romarins. Utiliser une bande de lin bistre et broder avec 2 fils de mouliné DMC. Faire la croix sur le croisement de 2 fils sur 2 fils. Les points arrière sont à broder avec 2 fils en rouge 801. Instructions générales p. 101.

« [...] un possesseur ancien et ingénu avait planté [...] un cyprès enfant, un de ces petits plumages effilés en pinceau, tendres à l'œil et déjà râpeux à la paume [...]. Aujourd'hui il arbore, sur des architraves de racines à demi-émergées, un fût à porter une église, et son fuseau, qui dépasse le toit, offense du haut en bas la maison [...]. »

Colette, *Paysages et portraits.*

Page de droite : *Le Langage des Fleurs,* ouvrage de Marthe Seguin-Fontes, Éditions du Chêne.

LE LAURIE

Gloire
Victoire

J'aime le vert laurier, dont
N'effacent la verdeur en
Monstrant l'éternité à j
Que le temps, ny la m

Le laurier pouss
méditerrané
puisant est utili
effluves de feu
on, les oracle
Les Grecs
gloire de l
Renais
XIX
distr
sig

de la
dition
es de la
cours du
laurier aux
"lauréat"
peu d'élèves y
at !
y planta un bois
s ombrages, hom-
était amoureux.

64

Laurus Nobili

Éloge de la sieste

La sieste est bien une douce habitude méditerranéenne. Ce sont les Romains qui lui ont donné ce nom dérivé de leur « sixième heure », *sexta hora*, qui correspondait, dans leur manière de compter les heures, à celle de midi. *Sexta hora* est devenu *siesta*. Au début du XVIIIe siècle, on parlait couramment en français de *siesta*, le mot ne s'étant pas encore tout à fait naturalisé.

Dîner comme on rêve

Tente, le jour, pour une sieste à l'abri des pans de mousseline qui, lestés d'un galet, font office de moustiquaires, ce « pavillon » léger et provisoire sera également, le soir venu, le décor féerique d'un dîner ou d'un simple apéritif aux chandelles. Il faut pour cela choisir une nuit sans vent et dresser la tente au jardin. L'investissement est modeste : ces tentes de jardin sont vendues dans quantité de grandes surfaces et même sur les marchés. On la choisira blanche. La mousseline fera le reste, métamorphosant un objet banal en théâtre éphémère, voilant toute chose de blanc et dansant au moindre souffle d'air.

> « *On connaît des joies sans nombre*
> *Quand on dort la tête à l'ombre*
> *Et les pieds au grand soleil.* »
>
> P. Mizraki, *La tête à l'ombre*, chanté par Yves Montand.

Un abri pour le farniente

Il vous faut :
• une tente de jardin du commerce, blanche de préférence,
• de la mousseline,
• du ruban ou des liens divers (on peut même en réaliser dans la mousseline).

Le premier travail consiste à débarrasser la tente de ses habillages verticaux : ne conserver que le « toit ».
Pour calculer le métrage nécessaire, mesurer chaque côté de la tente et diviser cette mesure par la largeur de la mousseline en arrondissant.
Par exemple, pour une tente de 3 x 4 m, et une mousseline de 1,20 m de large, il faudra 3 hauteurs (ajouter 20 cm à la hauteur de la tente) pour le côté de 3 m et 4 hauteurs pour celui de 4 m.
Les pans de mousseline se chevaucheront, ce qui sera plus joli. Inutile de faire des ourlets : cette construction est éphémère.
Coudre les liens ou rubans dans le haut de chaque lé. Et nouer les pans de mousseline sur la structure métallique de la tente, tout autour.
Les 20 cm supplémentaires de chaque pan reposent au sol.
Prévoir quelques galets pour maintenir la mousseline en place en cas de vent léger.
Il est aussi possible d'utiliser de la tarlatane de couleur ou même de vieux draps blancs.

Retour de chine

L'art de vivre provençal est à l'honneur depuis longtemps dans les pages des magazines de décoration. De nombreuses (et séduisantes) brocantes émaillent les routes de ce pays, offrant ici un garde-manger ajouré, là un jupon en boutis ou un vieux vase d'Anduze. De quoi ensoleiller toute la maison !

Ci-contre : *panetière en noyer.*
En haut, à droite :
portrait d'Arlésienne
(musée Arlaten).

Pour tous les styles de chineurs

Deuxième marché de l'art et des antiquités de France, la Provence regorge de brocantes et magasins d'antiquités. À cela s'ajoutent des foires ou des vide-greniers organisés par de nombreuses villes ou villages pendant l'été (voir p. 118). Collectionneurs, spécialistes, fouineurs, curieux et autres passionnés en quête d'objets du passé y trouveront leur bonheur.

Le charme du bois sculpté

Le mobilier provençal a sa propre identité et ne manque ni de style, ni de personnalité. Le plus souvent réalisés en noyer, les meubles arborent des formes déliées et des motifs floraux en relief. Parmi les plus recherchés : armoire de mariage en bois sculpté de cœurs entrelacés, d'épis de blé ou de colombes, « manjadou » (garde-manger ajourés par des fuseaux), coffre (il sera remplacé plus tard par la commode en « arbalète »), moulin à bluter (meuble à deux portes sans tiroir), « mastro » (pétrin), buffet à glissants ou encore, le fauteuil trapézoïdal dit « à la capucine » et le fameux canapé à l'assise paillée, improprement appelé « radassié ».

Le petit mobilier : ode à la cuisine

Vous serez peut-être étonné par la variété des pièces de petit mobilier. Les Provençaux utilisaient beaucoup d'étagères décoratives ayant chacune une fonction particulière : le vaisselier pour les faïences, l'*estagnié* pour les étains, le *verriau* pour les verres, le *coutelié* pour les couteaux.

Quant au sel et à la farine, on les conservait dans de jolies boîtes en bois sculpté suspendues au mur : la *saliero* et la *fariniero*. La liste serait incomplète si l'on n'évoquait pas le *paniero*, petite armoire à claire-voie où l'on gardait le pain, meuble inventé en Arles au XVIIIe siècle. Si vous voulez vous installer à la provençale, allez faire un tour dans un ravissant hôtel particulier d'Arles. Son propriétaire, Frédéric Dervieux, propose un superbe choix de meubles provençaux.

Une adresse à ne pas manquer !

Antiquités Dervieux
5, rue Vernon ;
Tél. : 04 90 96 02 39.

Ci-dessus : *beau buffet à glissants XVIIIe siècle.*
En haut : *« radassié » XVIIIe siècle.*

À gauche : *huile sur toile des années 40.*

RETOUR DE CHINE

trouveront, notamment, leur bonheur
sur le stand de Dominique Le Roux,
sur le marché de Saint-Tropez le
samedi matin, ou chez Michel Biehn
(*photo ci-contre*). Ce chercheur assidu
célèbre les étoffes anciennes dans une
exposition permanente retraçant
l'histoire du tissu provençal.

Michel Biehn
7, avenue des Quatre-Otages,
84800 L'Isle-sur-la-Sorgue ;
Tél. : 04 90 20 89 04. Ouvert le samedi
et le dimanche (la semaine : sur rendez-
vous uniquement).

Faïences et poteries anciennes

La Provence est le paradis des amateurs de faïences ou de poteries anciennes. L'argile fine et les centres céramistes y abondent. Rares faïences d'Apt en terres mêlées, magnifiques terres vernissées de Vallauris au décor de jaspure, faïences de Moustiers en camaïeu de bleu ou céramique d'Aubagne aux délicats reflets irisés : attention aux coups de cœur ! (*Lire également p. 126*).

À gauche : *gargoulette du musée Arlaten ;* ci-dessus : *bouillon en faïence XVIIIe du musée d'Art et d'Histoire de Provence, à Grasse.*

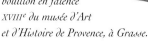

Les étoffes travaillées avec amour

En plus de ses meubles patinés, la Provence possède une autre richesse : ses étoffes. Cotonnades et indiennes bien sûr, mais aussi étoffes piquées et boutis. Le boutis, typiquement provençal, est une superposition de tissus dont les motifs sont piqués et le relief donné par un bourrage soigneusement placé par endroit dans l'épaisseur des étoffes. Les femmes brodaient ainsi patiemment au boutis d'élégants jupons, mais aussi certaines petites pièces réservées aux bébés, appelées « petassons », et de nombreuses courtepointes qui faisaient partie du trousseau de mariage. Ces pièces qui nécessitaient de nombreuses heures de travail sont des créations uniques. Les motifs varient à l'infini et rivalisent de beauté et de complexité : décor à la colombe, aux cœurs, ou paniers de fleurs et de fruits. Réalisés sur du tissu blanc, jaune, indigo ou fleuri de couleurs délicieusement fanées, chaleureux et moelleux, les boutis ont aujourd'hui une place dans nos intérieurs sous forme de jetés de lit ou de canapé. On peut aussi les utiliser pour tapisser une ancienne bergère. Les passionnés de pièces rares

116

Les coucourdettes

Si vous aimez les objets insolites et rares, vous serez séduit par les coucourdettes. Ce sont des sortes de coloquintes évidées et séchées, parfois décorées, à la superbe patine rousse et cirée. Fermées à l'aide d'un bouchon de liège ou de buis tourné, elles servaient de gourde aux bergers ou de réserve de poudre aux chasseurs.

Bergamotes ou orangettes

Les bergamotes de Grasse ou orangettes sont tout aussi décoratives mais malheureusement beaucoup plus rares. Ces petites boîtes à poudre, à pilules ou à bonbons sont faites d'une écorce d'orange moulée recouverte de carton et de papier mâché vernis. Au XVIIIe siècle, les amoureux en faisaient cadeau à leurs belles.

Marine méditerranéenne.
Ci-contre : *réédition de la première cigale créée en 1895 par Louis Sicard et soulignée d'une phrase de Mistral.*

Cigales

Vous trouverez facilement les cigales aux yeux bleus et aux ailes grises de Louis Sicard. Ce faïencier créa les premières cigales presse-papiers pour honorer la commande d'une entreprise en quête d'un cadeau à offrir à ses clients.

Les cigales se sont ensuite multipliées ; on en trouve beaucoup, apposées sur des vases ou des bonbonnières, le plus généralement de couleur jaune. Elles abondent dans les magasins de souvenirs mais les anciennes sont les plus belles.

Mobilier de jardin et ferronneries

Le jardin fait partie intégrante de l'art de vivre provençal, comme en témoignent la richesse du mobilier de jardin, les magnifiques statues, fontaines ou pots que l'on rêverait de rapporter. Plus petites mais tout aussi élégantes, ferronneries et serrureries pourraient bien trouver une place loin de leur terre natale.

À gauche : *barbotine de Monaco (voir p. 122) ;*
à droite : *vase d'Anduze.*

Calendrier des brocantes

Difficile de trouver en Provence un village qui n'ait pas sa brocante. Pour vous aider, nous avons établi un calendrier des meilleures d'entre elles. Bonne chine !

En juillet

Apt (84)
Brocante et antiquités, dernier week-end de juillet.
Salle des fêtes ; Tél. : 04 90 74 03 18.

Cannes (06)
Salon des antiquaires, du 12 au 20 juillet.
Palm Beach ; Tél. : 04 93 38 13 64.

Caromb (84)
Foire antiquités et brocante, 14 juillet.
Tél. : 04 90 62 36 21.

Cotignac (83)
Antiquités, brocante, collections, le 3e dimanche de juillet (60 exposants).
Cours Gambetta ; Tél. : 06 09 07 12 30.

Entrecasteaux (83)
Foire à la brocante, le 3e dimanche de juillet.
Tél. : 04 94 40 50 ou 04 94 04 42 86.

Fayence (83)
Salon des antiquaires, du 10 au 14 juillet, de 10 à 20 h (80 professionnels).
Grand Jardin ; Tél. : 04 94 76 11 11.

Méounes-lès-Montrieux (83)
Quatre jours de foire à la brocante, autour du 14 juillet (50 exposants).
Tél. : 04 94 33 94 54.

Mouans Sartoux (06)
Salon d'antiquités et brocante, du 18 au 20 juillet.
Place des Anciens-Combattants ; Tél. : 04 93 75 75 16.

Pertuis (84)
Brocante, le 14 juillet pendant 3 jours.
Cours de la République ; Tél. : 04 90 79 15 56.

Sainte-Cécile-les-Vignes (84)
Foire antiquités et brocante, le 14 juillet.
Tél. : 04 90 75 01 05.

Sault (84)
Foire à la brocante, fin juillet.
Tél. : 04 90 64 01 21.

Trets (13)
Foire à la brocante, le 1er dimanche de juillet.
Tél. : 04 42 61 33 23.

En août

Aix-en-Provence (13)
Journée antiquités et brocante, de 8 à 19 h (60 exposants).
Cours Mirabeau ; Tél. : 04 42 63 06 75.

Brignoles (83)
Quatre jours de foire à la brocante et aux antiquités, autour du 15 août (130 exposants).
Hall des expositions ; Tél. : 04 93 84 89 64.

Cadenet (84)
Fête de la brocante et des artisans, 1er week-end d'août (70 exposants).
Centre ville ; Tél. : 04 90 68 38 21.

Cotignac (83)
Antiquités, brocante, collections, le 3e dimanche d'août (60 exposants).
Cours Gambetta ; Tél. : 06 09 07 12 30.

Fayence (83)
Salon, du 9 au 17 août (80 professionnels).
Grand Jardin ; Tél. : 04 94 76 20 08.

Goult (84)
Brocante vide-greniers, le 1er dimanche d'août (150 exposants).
Hameau de Lumières ; Tél. : 04 90 72 22 71.

L'Isle-sur-la-Sorgue (84)
Foire antiquités et brocantes, 3 jours
autour du 15 août (900 exposants).
Avenue des Quatre Otages,
cours René-Char, Parc Gauthier ;
Tél. : 04 90 38 04 78 (O.T.).

Mandelieu (06)
Grand vide-greniers, le 15 août
(200 exposants).
Place de la Casinca ;
Tél. : 04 93 49 18 93.

Méounes-lès-Montrieux (83)
Quatre jours de foire à la brocante,
autour du 15 août (50 exposants).
Tél. : 04 94 33 94 54.

Monte-Carlo (Monaco)
Biennale internationale des
antiquaires, joailliers et galeries d'art,
1re quinzaine d'août (la prochaine :
en 1999).
Place du Casino ;
Tél. : (00 377) 92 16 61 16.

Brocantes hebdomadaires

Aix (13) : les mardis, jeudis, samedis
matin. Place de Verdun.

Antibes (06) : les jeudis et samedis
matin. Place Audiberti.

Arles (13) : le samedi, marché
à la brocante. Boulevard des Lices.

Avignon (84) : le samedi matin,
place Crillon. Le dimanche matin,
place des Carmes.

Cannes (06) : le lundi, de 15 à 22 h
(l'été). Marché Fortville. Le samedi,
sur les allées, de 8 à 17 h.

Forcalquier (04) : le dimanche matin.
Vieille ville.

Gardanne (13) : les samedis
et dimanches, brocante.
Avenue du 8 mai 1945.

Grasse (06) : le mercredi toute
la journée. Place aux Herbes.

Hyères (83) : les samedis
et dimanches, marché aux puces.
ZI. Saint-Martin.

Jonquières (84) : le dimanche matin.
À l'entrée du village.

L'Isle-sur-la-Sorgue (84) : le
dimanche. Avenue des Quatre-Otages.

Marseille (13) : le samedi
et le dimanche, puces des Arnavaux
(anciennes usines Alsthom).

Menton (06) : le vendredi.
Place aux Herbes.

Monaco : le samedi, de 9 h 30
à 17 h 30. Port de Fontvieille.

Montfavet (84) : le samedi matin.
À côté du stade.

Nice (06) : le lundi, de 8 à 17 h.
Cours Saleya. Marché aux Puces,
du mardi au samedi, de 10 à 18 h,
place Guyemer, quai Infernet.
Antiquaires quai Papacino.

Saint-Rémy-de-Provence (13) :
t.l.j. sauf le lundi matin, les « brocs
de Saint-Ouen » (environ 40 exposants
tous professionnels) déballent
sur la route d'Avignon, de 8 à 20 h.

Saint-Tropez (83) : le samedi matin,
marché aux puces.

Saintes-Maries-de-la-Mer (13) :
le mardi. En alternance place
de la Mairie et aux arènes ;
Tél. : 04 90 98 03 72.

Vence (06) : le mercredi matin,
de 8 à 13 h. Vieille ville.

Villefranche-sur-Mer (06) :
le dimanche, de 9 à 17 h 30 (plus tard
en été). Port de la Santé.

Villeneuve-Loubet (06) : le dimanche,
de 9 à 17 h. Place de la Mairie.

Puget-Théniers (06)
Brocante vide-greniers (50 exposants).
Tél. : 04 93 05 00 29 (mairie).

Vachères (04)
Antiquités, brocante, vide-greniers,
1er dimanche d'août
(70 exposants).
Village médiéval ;
Tél. : 04 92 75 62 15 (mairie).

Beaux et saints : les santibelli

Témoins d'un art populaire et d'une piété naïve, les santibelli, devenus peu à peu au cours du XIXe siècle des objets de décoration de la maison provençale, déclenchent aujourd'hui les passions des collectionneurs.

Des statuettes vénérées

À la fin du XVIIIe siècle, des marchands ambulants italiens proposaient ces statuettes de plâtre richement décorées représentant des saints en clamant : « *Santi Belli* ! *Santi Belli* ! ». De là leur nom probablement. Ces figurines, peintes de couleurs vives, plus grandes qu'un santon (leur taille atteint souvent plus de 30 cm), furent très populaires dans le Midi au siècle dernier. Très rapidement les artisans d'Aubagne ou de Marseille les ont reproduites, en terre cuite cette fois, à la manière des santons.

Sous la protection des saints

Objets de piété populaire, ces statuettes pomponnées, couronnées de fleurs en papier, parfois agrémentées de paillettes dorées, représentaient le plus souvent des vierges martyres ou des saints vénérés en Provence.

Le santibelli, auquel on attribuait un rôle protecteur, s'offrait généralement lors d'une fête importante comme un mariage ou une naissance.

En Provence, on aime les saints (et les grandes figures de l'Histoire), comme en témoigne la place de choix qui leur est accordée dans la maison. Protégés par un globe de verre, les santibelli trônent en évidence sur la cheminée. Les goûts sont très éclectiques : la Vierge, sainte Marthe ou sainte Catherine peuvent partager une étagère avec Napoléon, Voltaire ou Diderot !

De la vénération à la décoration

Les santibelli avaient aussi une fonction purement décorative. Les artisans s'inspiraient du peuple provençal en représentant le tambourinaire, la bergère et le jardinier, ou reproduisaient des sujets

La cote des santibelli

À moins d'être particulièrement chanceux, il est difficile d'acheter des santibelli. La plupart ne quittent guère les collections publiques ou privées.

Les rares pièces en vente datent du XIXe siècle et se négocient entre 500 et 2 000 F. Les santibelli profanes qui figurent souvent bergères ou bergers sont moins recherchés que les Vierges et autres sainte Claire. Notez également que la production des santibelli ne s'est pas limitée à la seule Provence, mais s'est étendue à presque toutes les régions

profanes plus exotiques comme le Turc fumeur de narghilé, Diane chasseresse ou le buveur de chocolat.

Ces derniers sujets, plus rares que les sujets religieux, sont très recherchés par les collectionneurs avertis (citons parmi les plus connus : Pierre Bergé ou Christian Lacroix). Vous trouverez par hasard des santibelli sur les foires à la brocante et aux antiquités de la région, mais il est plus facile d'aller les admirer dans certains musées comme Château Gombert à Marseille ou le musée Charles-Deméry à Tarascon.

Visites

Musée de Château Gombert

Le musée compte une vingtaine de santibelli, napolitains et siciliens, de nature religieuse ainsi que cinq sujets profanes datant du Directoire. *5, place des Héros, 13013 Marseille ; Tél. : 04 91 68 14 38. Ouvert t.l.j. sauf mardi, de 14 h 30 à 18 h 30.*

Musée Charles-Deméry

Vous découvrirez plus d'une trentaine de santibelli du XIXe d'origine italienne qui représentent pour la plupart des saints patronymiques. *36, rue Prudhon, 13150 Tarascon ; Tél. : 04 90 91 08 80. Prendre rendez-vous pour visiter le musée.*

Tous les santibelli présentés ici appartiennent aux collections du musée Charles-Deméry. Page de gauche, en bas : couple de santons en terre cuite, fin XIXe ou début XXe siècle.

RETOUR DE CHINE

121

Barbotines aux citrons

Voici une idée de collection doublement liée à la Côte d'Azur : celle de barbotines créées à Monaco ou à Menton entre 1870 et 1930 sur le thème du citron, fruit emblématique de la région.

Une naissance monégasque

À la fin du XIXe siècle, les « poteries de Monaco », faïences parfois tressées, décorées de motifs de fleurs et de fruits modelés à la main, connaissent un immense succès et lancent la mode des « barbotines ». *« La barbotine est un mélange d'argile et d'eau très dilué, utilisé pour le coulage des pièces de forme ou pour le collage et les raccords… Barbotine est un terme que les antiquaires utilisent depuis quelques décennies pour nommer les faïences vivement colorées à glaçures souvent rutilantes, aux décors en léger ou fort relief »*, précise Pierre Faveton (*Les Barbotines*). Dans la grande tradition de Bernard Palissy, les faïences monégasques de M. Fischer, très imitées, sont à l'origine d'un véritable renouveau de la céramique française, particulièrement à Menton, où les différents potiers qui viennent s'installer, à partir de 1880, ont tous travaillé dans les ateliers de Monaco.

Citrons et ciel limpide

« L'école mentonnaise » se démarque néanmoins par la remarquable qualité technique et artistique, la grande variété et l'originalité de ses barbotines. Leurs décors aux couleurs émaillées vives et brillantes, moulés à la main, exaltent le terroir : bleu et turquoise évoquent la luminosité du ciel, citrons et oranges se mêlent aux fleurs du pays : roses, marguerites, myosotis, lilas, etc.

La fée aux fleurs

Premiers à quitter Monaco pour ouvrir à Menton, en 1879, leur propre atelier : Léopold Magnat et sa femme Marie, surnommée « la fée aux fleurs », en raison de l'extrême finesse de ses modelages à la main. Corbeilles simples, de couleurs joyeuses, décorées de guirlandes de fleurs luxuriantes et d'un fouillis de rubans rutilants, vases enlacés de rosiers ou de branches de citronniers, leur vaudront une renommée internationale et, en avril 1882, la visite de la reine Victoria.

Les grenouilles bleues

Successeur des époux Magnat, Eugène Perret-Gentil, d'origine suisse, reprend l'atelier en 1896. Ses œuvres sont reconnaissables à leur bleu turquoise limpide et profond et à leurs motifs d'inspiration locale (agrumes, rameaux d'oliviers). Il lance la mode de la peinture à même la pièce et, plus important encore, des céramiques utilitaires : confituriers, services à café, etc. Il est aussi célèbre pour ses délicates petites grenouilles bleues, typiquement mentonnaises. Son fils, Charles reprend son atelier et crée la fameuse signature à la libellule, et réalise des poteries en terre de Sospel, d'inspiration grecque, phénicienne ou étrusque. Robert Prauly prend la relève en 1962, suivi par trois générations puis par Marie-Hélène Le Colonnier, qui perpétue aujourd'hui encore, dans le même atelier, la tradition mentonnaise.

Un répertoire réaliste

Autre atelier de renom, celui de Félix Tardieu. Ce naturaliste passionné produit des vases aux motifs de vipères, de couleuvres rampantes, de lézards, d'algues, de nénuphars et de fougères, d'un réalisme surprenant. Certains disent qu'il endormait ses sujets et modelait directement la terre sur leurs corps assoupis.

Contrairement aux autres céramistes, il n'employait que des teintes sombres, afin de mieux imiter la nature, et utilisait la technique du « jaspé », fréquemment employée en Provence, mêlant différentes couleurs de terre. Reprise par son fils, François, la poterie ferme en 1914. Autre nom illustre de la céramique française de la fin du XIXᵉ siècle, Pierre-Adrien Dalpayrat. De court passage à Menton (1884-1887), il influence également, par la finesse de ses créations et par sa recherche de l'abstraction, les potiers de la région.

À lire :
La grenouille et le citron, histoire de la céramique artistique et architecturale mentonnaise, par Charles Martini de Chateauneuf et Michelle Rubino, édité par la Société d'Art et d'Histoire du Mentonnais. Les photos de ces deux pages en sont extraites.

Décor pour de somptueuses villas

En marge de ces quatre ateliers artisanaux, se crée à Menton, en 1873, la manufacture de céramique architecturale de Saïssi. Elle connaît un fort succès, soutenu par l'essor du tourisme sur la Riviera, emploie une centaine d'ouvriers et développe une technique industrielle. Sa céramique est utilisée par les plus grands architectes de l'époque : à Monaco, pour l'hôtel *Hermitage*, l'hôtel *Métropole* et le casino, par exemple ; à Menton, pour les blasons de la ville, et les somptueuses villas *les Colombières* et *Fontana rosa*. Cette entreprise éteignit ses fours en 1933.

La philosophie du cabanon

Les champs et les vignes hébergent de toutes petites maisons de pierre. Une porte et une seule fenêtre. Parfois moins de dix mètres carrés au sol. C'est le « cabanon », construction typiquement provençale.

Cabanon des champs

À l'origine, ces cabanons servaient de remises, où l'agriculteur rangeait son matériel, pour n'avoir pas à le transporter chaque jour. Le cas échéant, il pouvait s'y abriter d'un orage ou même y passer la nuit avec son cheval ou sa mule ; l'animal en bas, lui, sur une couchette à laquelle il accédait par une échelle. Lorsque Cézanne posait son chevalet dans la campagne, il louait un cabanon à Bibemus. Il pouvait ainsi y entreposer son matériel de peinture et y réchauffer, à midi, le déjeuner préparé par sa gouvernante.

… et cabanons des plages

Le cabanon de bord de mer, le plus souvent implanté dans les calanques, est d'un genre différent. Né avec les premiers congés payés de 1936, il s'apparente à une petite résidence secondaire où les familles modestes se retrouvaient le dimanche. Échappant à la chaleur des villes, elles y sacrifiaient, autour d'une pissaladière, au culte tout nouveau du farniente. Progressivement abandonnés par les agriculteurs, les cabanons de campagne ont également cristallisé tous les rêves de liberté et de bonheur. *Aller au cabanon*, c'était vivre enfin, profiter du soleil et des amandiers en fleur, de l'odeur chaude de la terre et de la belle lumière du soir sur les vignes.

Bories et bastidons

Très nombreuses sur les plateaux calcaires du Vaucluse (où on en a dénombré plus de 1 600 sur les 6 000 que compte la Provence), les bories, qui ne sont pas toujours des constructions très anciennes, ont probablement joué le même rôle d'habitat provisoire que les cabanons des champs. Elles ont été réalisées selon une technique similaire dans tout le bassin méditerranéen : celle de la voûte en encorbellement sans mortier, maîtrisée depuis le néolithique. Certaines étaient groupées (comme à Gordes) et constituaient alors une véritable ferme : plusieurs « cabanes » étaient destinées à l'habitation, d'autres servaient de bergerie ou de grenier à foin ou encore de remise à outils. Il semble que les bories isolées aient été édifiées, entre les XVIe et XIXe siècles, lors de périodes de défrichement.

Outre leur fonction d'abri, elles présentaient l'avantage d'utiliser judicieusement les nombreuses pierres ôtées des nouveaux champs. Les murs de certains « bastidons », comme on les appelle du côté de Grasse, atteignent en effet un mètre d'épaisseur.

Il faut dire que dans cette région, les « cabanes » sont réalisées en blocs massifs et non en dalles plates comme dans le triangle formé par le Luberon, le Ventoux et la montagne de Lure.

Un vrai garde-manger

Le garde-manger revient en force sur les brocantes, essentiellement comme accessoire de décoration. On en profite pour redécouvrir ses vertus premières qui sont de conserver à l'abri des rongeurs et des insectes mais aussi à meilleure température qu'au réfrigérateur, et avec une ventilation convenable, fromages, fruits et œufs frais. On peut transformer en vrai garde-manger n'importe quel petit meuble muni d'une porte. Explications.

Il vous faut :
• du papier de verre très fin,
• 1 grattoir,
• de l'eau de Javel,
• du grillage à garde-manger,
• 1 agrafeuse (électrique de préférence),
• 1 scie,
• des tasseaux de 20 x 10 cm.

Commencer par évider les portes et enlever les panneaux des côtés. Décaper l'ensemble du meuble à l'aide d'un grattoir et de papier de verre. Puis passer l'intérieur comme l'extérieur à la Javel pure (bien rincer), ce qui aura pour double effet de désinfecter le bois et de le blanchir. Agrafer, à l'intérieur des portes et panneaux, du grillage à garde-manger. Poser les agrafes bien serrées de manière qu'aucun insecte ne puisse pénétrer. Enfin, remplacer les étagères par des clayettes en tasseaux pour permettre une meilleure circulation de l'air.

Faïences du Midi

C'est parce que les guerres du Roi-Soleil avaient vidé les caisses de l'État et qu'il était interdit d'utiliser de la vaisselle d'or ou d'argent, que l'industrie de la faïence provençale se développa. Aujourd'hui, faïences de Moustiers, de Marseille ou du pays d'Apt ont maintenu leur excellence et sont restées mondialement connues.

Faïence de Moustiers

Les secrets de l'émail

À Moustiers, au XVIIe siècle, les potiers travaillent une argile très fine mais le village ne connaît la renommée que lorsqu'Antoine Clérissy, modeste potier venu d'Aubagne, introduit la technique de la faïence. Les secrets de l'émail stannifère, pratiqué alors à Faenza, lui auraient été livrés par un moine italien. En 1679, il fonde une fabrique qui va devenir la plus célèbre du royaume grâce à ses superbes services aux décors en camaïeu de bleu. Par la suite, les ateliers se multiplient : chacun a sa spécificité. Olérys et Laugier imposent la polychromie et développent leurs propres motifs de grotesques, guirlandes, fleurs de solanée ou drapeaux. Féraud réalise des décors souvent mythologiques et Ferrat se fait le spécialiste de la faïence au petit feu. Mais la Révolution sonne le déclin de cette industrie pourtant florissante et ce n'est qu'en 1927 que cet artisanat renaît

à Moustiers, grâce à Marcel Provence, écrivain, journaliste, céramiste et créateur du musée de Moustiers.

Le retour de la tradition

Aujourd'hui seize ateliers perpétuent la tradition. Citons la fabrique Lallier qui maintient l'authenticité du style et des décors spécifiques de Moustiers : choix du célèbre camaïeu de bleu et qualité de la terre utilisée. Ségriès est également connu dans le monde entier pour ses faïences de grande qualité. Vous pourrez acheter sa production à la boutique du village ou visiter la manufacture située à 6 km de Moustiers.

Lallier
Quartier Saint-Jean,
04360 Moustiers-Sainte-Marie ;
Tél. : 04 92 74 66 41 (atelier)
ou 04 92 74 65 07 (boutique).
L'atelier (fermé en août)
se visite sur rendez-vous uniquement.
Ségriès
Route de Riez ; Tél. : 04 92 74 66 69.
Sur rendez-vous uniquement.

En haut : *paire de plats creux,*
vers 1770, à décor de petit feu
polychrome (musée de la
Faïence de Marseille) ; terrine
en faïence de Marseille,
vers 1760 (musée des
Arts décoratifs,
à Paris) ; faïence de
Moustiers XVIIIe
(musée
municipal de
Draguignan).

Faïence de Marseille

Une production très diversifiée

Marseille fournit pendant plus de 130 ans une production d'une immense variété. L'activité débute en 1677 avec Joseph Clérissy, fils d'Antoine (le faïencier de Moustiers), à Saint-Jean-du-Désert. Cette bourgade, située aux portes de Marseille, dispose en abondance d'une excellente argile, de bois de chauffage et d'eau. La manufacture produit une exceptionnelle série de faïences au grand feu en camaïeu de bleu. Joseph Clérissy ne travaille pas seul, mais en collaboration avec un artisan nivernais, Jean Pelletier, et avec le peintre François Viry (qui reprendra l'exploitation à la mort du premier). La grande peste décimant Saint-Jean-du-Désert, les ateliers s'installent à Marseille. Fauchier avec son fameux décor des « fleurs jetées » et ses fonds d'émail jaune, Leroy et son motif en « étoiles de mer » ou « fleurs astéroïdes » connaissent à leur tour la célébrité.

Ci contre : surtout de table en faïence de Marseille, décor de grand feu en camaïeu de jaune, début XVIIIᵉ (musée de la Faïence de Marseille).
À droite : Bouillon, théière et sucrier, fin XVIIIᵉ en faïence jaspée, fabrique Moulin, à Apt (musée de la Faïence de Marseille).

La technique du petit feu

À partir de la seconde moitié du XVIIIᵉ siècle, les ateliers orientent leur production vers la technique du petit feu. De nombreux artistes laissent s'épanouir leur talent : la veuve Perrin excelle dans le décor floral ; Honoré Savy, remarquable peintre, se spécialise dans la teinte verte. Citons également Joseph Gaspard Robert et Antoine Bonnefoy, maîtres incontestés, renouvelant sans cesse les formes, les couleurs et les décors. Cependant, alors que la concurrence des porcelainiers fragilise déjà les faïences provençales, la Révolution puis le blocus de la flotte anglaise stoppent la production marseillaise. Allez admirer à Aubagne, dans l'atelier de l'Observance, les talentueuses reproductions de faïences des XVIIᵉ et XVIIIᵉ siècles.

Atelier de l'Observance

Boutique-exposition :
18, place Joseph-Rau, 13400 Aubagne ;
Tél. : 04 42 03 24 66.
T.l.j. sauf dimanche, de 9 h 30 à 12 h 30 et de 15 à 18 h 30.
Atelier : 54, avenue des Templiers, Parc d'activité de Napollon ;
Tél. : 04 42 03 64 89. T.l.j., de 9 à 18 h (dimanche sur rendez-vous).

Faïence du pays d'Apt

L'art de mêler les styles

Apt est avec Le Castellet l'un des tout premiers centres de céramique à fabriquer, dès la première moitié du XVIIIᵉ siècle, de la faïence fine. Les ateliers produisent d'abord une faïence de couleur jaune paille. Par la suite, les artisans-faïenciers emploient la technique très particulière des « terres mêlées » donnant ce que l'on appelle aussi la « faïence marbrée ». C'est un savant mélange d'argiles de plusieurs couleurs

qui inscrit le décor dans toute l'épaisseur de la pâte ; les bords des pièces sont souvent réhaussés d'un décor en relief émaillé.

La faïence marbrée du XXᵉ siècle

Aujourd'hui, de nombreux artisans, attirés par la richesse des teintes de l'argile régionale, proposent une production diversifiée et intéressante comme Tony Pitot à Goult. À Apt, Jean Faucon est l'un des derniers artistes à perpétuer la technique des terres mêlées.

Tony Pitot
N 100, 84220 Goult ;
Tél. : 04 90 72 22 79.
T.l.j. sauf dimanche, de 9 à 12 h et de 14 à 18 h 30.
Atelier Bernard (Jean Faucon)
12, avenue de la Libération, 84400 Apt ;
Tél. : 04 90 74 15 31. T.l.j. sauf dimanche, de 8 à 12 h et de 14 à 18 h.

Collections de faïences

Dans l'antre phocéen

Dans une bastide du XIXᵉ siècle située entre mer et collines, le musée de la Faïence de Marseille raconte l'histoire d'un savoir-faire vieux de plusieurs milliers d'années. Les collections provenant des musées des Beaux-Arts, Borély et Cantini, ajoutées à la donation Jourdan-Barry, y ont été réunies, rassemblant plus de 1 200 pièces de céramique et faïence marseillaise, régionale, française et européenne, du néolithique à nos jours. Un parcours chronologique admirablement orchestré dans un lieu plein de charme.

Musée de la Faïence de Marseille
Château Pastré,
157, avenue de Montredon,
13008 Marseille ;
Tél. : 04 91 72 43 47.
T.l.j. sauf lundi (et jours fériés),
de 11 à 18 h.

La grande tradition de Moustiers

Grâce à Marcel Provence (*voir p. 126*), Moustiers possède aussi une grande collection de faïences. En attendant la construction d'un musée, les pièces sont installées dans une salle de la mairie : 200 objets aux décors delicats, représentatifs des faïences de Moustiers de 1680 à 1875 et provenant des ateliers Clérissy, Olérys, Laugier, Ferrat…

Musée de la Faïence de Moustiers
Mairie, 04360 Moustiers-Sainte-Marie ;
Tél. : 04 92 74 61 64.
Ouvert t.l.j. sauf mardi, de 9 à 12 h et de 14 à 18 h (19 h en juillet-août).

La fabrique du château

Constitué d'un étonnant ensemble de ruines, cette demeure accueille un musée de la faïence fort intéressant retraçant l'histoire de la fabrique du château. Y sont présentées de belles pièces de la production locale retrouvées lors des fouilles et datant, pour la plupart, de 1750 à 1780, ainsi que quelques pièces du pays d'Apt.

Musée de la Faïence
Caves du château,
84240 La Tour d'Aigues ;
Tél. : 04 90 07 50 33.
Ouvert t.l.j., de 10 à 13 h et de 15 h 30 à 18 h 30.

À l'ombre de ses sœurs

Installé à *L'Enclos,* demeure du général d'Empire Gassendi, le musée de la Faïence de Varages raconte l'histoire du village qui vécut de cette activité de 1690 à 1925.

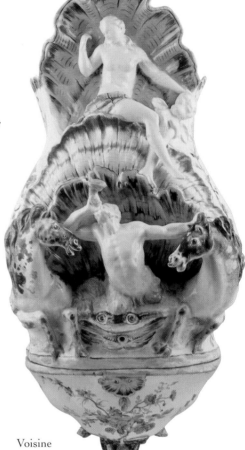

Voisine de Moustiers et de Marseille et bénéficiant des mêmes ressources naturelles, la production s'inspira bien souvent de celle des deux grands centres du Midi.

Musée de la Faïence de Varages
83670 Varages ; Tél. : 04 94 77 60 39.
De fin juin à mi-septembre, t.l.j., l'après-midi de 15 à 19 h.
Une journée de foire a lieu le 16 août.

Page de gauche : *fontaine d'Honoré Savy,
faïence de Marseille (musée de la Faïence de
Marseille).*
En médaillon : *terrine du musée de la
Poterie, à Vallauris.*
Ci- contre : *faïence à décor de petit feu,
seconde moitié du XVIIIe siècle, Marseille,
fabrique Gaspard Robert (musée de la
Faïence de Marseille).*
Au centre : *plat à décor de grand feu,
Marseille, vers 1760 (musée de Sèvres).*
En bas : *plat de barbier à décor de
grotesque, vers 1780 (musée de la Faïence
de Moustiers).*

Musée Paul-Arbaud
*2, rue du 4 septembre, 13100 Aix-en-
Provence ; Tél. : 04 42 38 38 95.
Ouvert t.l.j. sauf dimanche,
lundi et jours fériés, de 14 à 18 h.*

Apothicairerie de l'Hôtel-Dieu
*Place Aritide-Briand,
84200 Carpentras ;
Tél. : 04 90 63 80 00.
Visite lundi, mercredi et jeudi,
de 9 à 11 h 30.*

**Musée d'Art et d'Histoire
de Provence**
*2, rue Mirabeau,
06130 Grasse ;
Tél. : 04 93 36 01 61.
De juin à fin août,
t.l.j., de 10 à 19 h.*

Musée archéologique
*Place Gabriel-Péry, 84405
Apt ; Tél. : 04 90 74 00 34.
Ouvert t.l.j. sauf mardi et
dimanche, de 8 à 12 h et de 14
à 17 h 30, et le samedi de 8 à 12 h.*

Autres temples de la faïence

On peut aussi voir au musée Paul-
Arbaud de très belles faïences de
Moustiers et de Marseille. Quant à
l'Apothicairerie de l'Hôtel-Dieu
de Carpentras, elle présente dans une
pharmacie inchangée depuis 1762
et encore utilisée, une extraordinaire
collection de pots à pharmacie
de Moustiers, de
Montpellier et d'Italie.
À Grasse, le musée
d'Art et d'Histoire de
Provence renferme
de magnifiques
faïences de
Moustiers, et Apt
propose la visite,
au Musée
archéologique, d'un
étage consacré aux
faïences régionales
du XVIIe
au XIXe siècles.

Céramiques

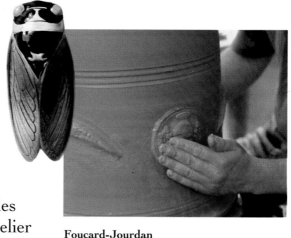

La céramique est l'expression du génie artisanal et industriel des Provençaux. La terre cuite est à la fois le matériau privilégié pour la construction, la fabrication des ustensiles culinaires et bien sûr pour celle des santons. N'hésitez pas à pousser la porte de l'atelier pour vous imprégner de l'odeur de la terre et partager les secrets du four.

Biot, des jarres aux vases de jardin

La spécialité de Biot était la fabrication de jarres ventrues servant pour la conservation de l'eau, des grains ou de l'huile. On les retrouve aujourd'hui dans les jardins. À Biot, la Poterie Provençale perpétue la tradition des vases faits au « tour de corde », une fabrication très particulière que l'on peut voir exécuter.

Augé-Laribé
1689, route de la Mer, 06410 Biot ;
Tél. : 04 93 65 63 30.
T.l.j. sauf dimanche matin, de 8 à 12 h et de 14 à 18 h 30.

Vallauris, l'art au quotidien

Cette cité produisait principalement des *terraïo*, ustensiles de cuisine : *tian* (plat à gratin) et *pignato* (marmite), *toupin* et *pourrou* (pots à queue), daubières et terrines, *virotroucho* (vire-omelette) et *cagadou* (vase de nuit). Ces authentiques témoignages de la vie quotidienne et de l'art populaire provençal sont réédités avec beaucoup de goût.

Mosaïques d'argiles colorées selon la technique de Gerbino, (voir p. 134).

Foucard-Jourdan
65, bis avenue Clemenceau,
06220 Vallauris ;
Tél. : 04 93 64 59 08.
T.l.j. sauf dimanche matin, de 10 à 12 h 30 et de 14 à 19 h.

Aubagne, capitale de l'argile

Les ateliers d'Aubagne fabriquaient des objets culinaires de couleur jaune sombre, ainsi que les jolies *tarraïettes*, servant de dînette aux enfants. Le dernier potier à poursuivre cette fabrication est à 3 km d'Aubagne. Poussez la porte de la poterie Massucco et vous tomberez sous le charme de ces petits objets typiquement provençaux. N'oubliez pas la poterie Louis Sicart-Amy et ses fameuses cigales. Les amateurs de jarres et pots de jardin en terre cuite brute ou émaillée trouveront leur bonheur à la poterie Ravel, la plus ancienne manufacture d'Aubagne.

Poterie Massucco
Villa Claude-Quartier Camp Major,
13400 Aubagne ; Tél. : 04 42 03 34 31.
T.l.j. sauf dimanche, de 8 à 12 h et de 13 h 30 à 19 h.

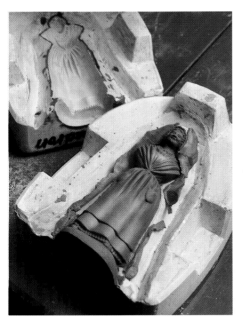

à la poterie. *Tél. : 04 92 74 67 84 (O. T.).*

La foire des potiers Argila
Mi-août, tous les deux ans
(année impaire), à Aubagne.
Tél. : 04 94 51 83 83 (O.T.).

La foire Terre et Feu
En août, à Varages.
Tél. : 04 94 77 83 18 (O.T.).

Et aussi…
La Fête des Potiers à Saint-Cannat
en juillet (04 42 57 20 12) et celles
de Seillans (04 94 76 85 91),
L'Isle-sur-la-Sorgue (04 90 38 04 78),
Séguret (04 90 46 91 06) et Apt
(04 90 74 03 18) en août.

Fêtes

La fête des potiers de Terra Fréjus
Le 3e week-end de juin, cette fête
rassemble plus de 70 des meilleurs
potiers de la région P.A.C.A.
Exposition-vente et initiations

Pour célébrer une messe de minuit, en 1223, à Greccio, petit village des Abruzzes, saint François d'Assise aurait eu l'idée de représenter une crèche avec des personnages et des animaux vivants. Dès la fin du XIIIᵉ siècle, chaque église de Provence fait une crèche. Rapidement, elles s'émancipent de la liturgie : aux personnages saints s'ajoutent bergers, paysans, artisans. En fermant les églises, la Révolution favorise le succès des santons domestiques. Marseille en devient le premier centre de production. Dès 1803, les santons sont vendus sur la Canebière.

Poterie Louis Sicart-Amy
*2, boulevard Émile-Combes ;
Tél. : 04 42 70 12 92.
T.l.j. sauf dimanche, de 8 à 12 h
et de 14 à 18 h 30.*
Poterie Ravel
*Avenue des Goums ; Tél. : 04 42 82 42 00.
T.l.j. sauf dimanche, de 8 à 12 h
et de 14 à 18 h.*

Barbotines rééditées

À l'initiative de Jean Nicolas, cette faïencerie d'art a repris les anciennes techniques de fabrication des barbotines pour rééditer des modèles des ateliers de Vallauris, Saint-Clément, Honnaing ou Sarreguemines. Assiettes décorées de fraises ou de dahlias, brocs représentant éléphant, tournesol ou perroquet, cache-pots à décor d'iris, chaque barbotine est une reproduction rigoureuse de belles pièces de la fin du siècle dernier ou des années 1900 à 1940.

Faïencerie d'art de L'Isle-sur-la-Sorgue (Virginie Nicolas)
*Z.I. La Grande Marine 1, rue Ampère,
84800 L'Isle-sur-la-Sorgue ;
Tél. : 04 90 38 19 01 (atelier).*
Magasin de vente et exposition
Nicolas de Crebessac
*Villages des Antiquaires
de L'Isle-sur-la-Sorgue ;
Tél. : 04 90 20 76 75.
Ouvert tous les week-ends, de 10 à 19 h.*

Que rapporter?

Depuis toujours, l'artisanat occupe une place importante dans la vie culturelle des villages provençaux, conférant à la région une harmonie faite d'accents, de talents, de couleurs, de parfums et de saveurs. La variété des savoir-faire est impressionnante et bien tentante !

Côté déco

• **Ciergerie Boulaire**
Bougies et cierges à l'ancienne. C'est ici que se servent la plupart des grandes tables de la région.
Route de Maillane, 13690 Graveson ; Tél. : 04 90 95 71 14.
• **Édith Mézard**
Linge brodé à l'ancienne et une délicieuse « eau de linge » parfumée à la lavande, la fleur d'oranger ou la rose, à asperger avant le repassage.
Château de l'Ange, 84220 Lumières ; Tél. : 04 90 72 36 41.
• **Félix Ailhaud**
Tissus d'ameublement XVIIIe siècle réédités d'après des cartons originaux et réinterprétés aux goûts du Sud.
35, rue Cardinale, 13100 Aix-en-Provence ; Tél. : 04 42 27 96 69.
• **Francesca Provenzano**
Enveloppes messages au décor provençal à mettre sur les paquets cadeaux ou pour marquer les places à table.
L'Iroundo, route de Saint-Rémy, 13103 Mas Blanc des Alpilles ; Tél. : 04 90 49 08 80.

• **Girouettes Delton**
Girouettes en tôle découpée ou en fer forgé.
Domaine d'Ollone, 84110 Vaison-la-Romaine ; Tél. : 04 90 46 15 56.
• **Janick Pein**
Linge de table et de maison, rideaux de lin ou de coton, courtepointes et voilages brodés au point de croix.
Mille et Un fils en croix, Le Jonquier, 84800 Saumane ; Tél. : 06 09 96 85 63.
• **Jean-Pierre Darasse**
Rideaux de porte en perles de buis ou d'olivier pour éconduire la chaleur et décourager les insectes.
78, av. Gabriel-Péri, 84000 Avignon ; Tél. : 04 90 25 40 23.
• **La Fabrique**
Cette adresse propose tout un choix de vannerie.
25, av. de la Libération, 13210 Saint-Rémy-de-Provence ; Tél. : 04 90 92 02 27.
• **Laffanour**
« Radassiés » ou canapés paillés provençaux *(photo ci-contre)*.
91, bd de la Libération, 84150 Jonquières ; Tél. : 04 90 70 60 82.

• **La Forge d'Opio**
Ferronnerie d'art.
4, chemin des Eigages, 06650 Opio ;
Tél. : 04 93 77 24 90.

• **L'Atelier de Fleurs Séchées**
Fleurs séchées à profusion.
Cours Thierry-d'Argenlieu, 04110
Reillanne ; Tél. : 04 92 76 49 29.

• **L'Atelier de Provence**
Un assortiment de fleurs séchées.
72, rue d'Antibes, 06400 Cannes ;
Tél. : 04 93 38 40 11.
24, rue Allard, 83990 Saint-Tropez ;
Tél. : 04 94 54 80 30.

• **L'Atelier de René Ghiglione**
Vannerie traditionnelle : les fameuses
banastes (panier à pommes de terre),
les mesures à olives, les paniers pour
la cueillette, le jardin ou le marché, les
nichoirs à pigeon ou les tiroirs en osier.
2, chemin neuf, 06410 Biot ;
Tél. : 04 93 65 11 09.

• **Le Grand Magasin**
Créations contemporaines de jeunes
artistes locaux *(photo ci-dessous)*.
24, rue de la Commune,
13210 Saint-Rémy-de-Provence ;
Tél. : 04 90 92 18 79.

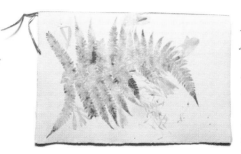

• **Le Mas des Anges**
Objets décoratifs patinés et appliques
sur le thème de l'ange.
Route du Destet,
13520 Maussane-les-Alpilles ;
Tél. : 04 90 54 44 67.

• **Les Bougies du Castellet**
Vous trouverez dans ce magasin un
choix important de bougies parfumées
et décoratives et de parfums d'ambiance.
83330 Le Castellet ;
Tél. : 04 94 32 61 46.

• **Marie-Claude Brochet**
Ancien atelier de rideaux de porte
en perles de buis.
1043, av. des Vertes Rives, 84140
Montfavet ; Tél. : 04 90 23 58 37.

• **Poterie des Trois Terres**
Plaques et enseignes de maison
personnalisées.
Route nationale, 83310 Grimaud ;
Tél. : 04 94 43 21 62.

Côté jardin

• **Aux Jarres de Provence**
Vasques, bugadiers, vases à rinceaux,
jarres à fraises et claustras à l'ancienne.
Route de la Mer, 06410 Biot ;
Tél. : 04 93 65 61 26.

• **Christian Hoogewys**
Pour trouver des meubles de jardin.
Route de Collobrières, 83310 Cogolin ;
Tél. : 04 94 54 13 19.

Au XVIe siècle, les moulins à papier
jalonnaient la Sorgue. Les premiers
« battoirs » étaient apparus en Provence
deux siècles plus tôt. Ce n'est qu'en 1862
que fut créée, à Fontaine-de-Vaucluse,
la « Papeterie du Chemin de la Fontaine »
qui fonctionna pendant un siècle. Elle est
aujourd'hui devenue le Centre artisanal
de Vallis Clausa, qui fabrique divers papiers
artisanaux dont certains comportent
des inclusions d'éléments végétaux.
Tél. : 04 90 20 34 14.

• **Gérard Aude**
Meubles de jardin en fer forgé.
84220 Saint-Pantaléon ;
Tél. : 04 90 72 22 67.

• **Le Jardin des Lavandes**
Plants de lavandes ou plantes officinales.
Hameau de Verdolier, 84390 Sault ;
Tél. : 04 90 64 14 97.

• **Poterie Terra Cotta**
Pour y trouver des vasques réalisées
sur mesure.
Route de Draguignan, 83690 Salernes ;
Tél. : 04 94 70 63 46.

Côté terre

• Alain Vagh

Choix de terres cuites et de plaques de lave émaillées. Par ailleurs, Alain Vagh recouvre de « cassons » de céramique toutes sortes d'objets, du piano à la paire de santiags !
Route d'Entrecasteaux,
83690 Salernes ; Tél. : 04 94 70 61 85.

• Carocim

Carreaux de ciment à l'ancienne
(photo ci-contre).
1515, quartier Beaufort,
13540 Puyricard ; Tél. : 04 42 92 20 39.

• Faïencerie Figuères

Trompe-l'œil de fruits ou de légumes peints et patinés à la main (80 variétés).
10-12, av. Lauzier, 13008 Marseille ;
Tél. : 04 91 73 06 79.

• Gerbino

Objets en mosaïque d'argile colorée dans la masse selon une technique originale créée en 1930 par Jean Gerbino et perpétuée par Yvan Kœnig.
4-8, av. du Stade,
06220 Vallauris ;
Tél. : 04 93 63 77 18.

• L'Atelier du Mille-Pattes

Poteries à usage culinaire fabriquées avec des terres rouges ou jaunes d'Apt.
04870 Saint-Michel-l'Observatoire ;
Tél. : 04 92 76 61 81.

• Les Terres Cuites des Launes

Superbes carrelages en terre cuite brute pour les sols.
Quartier des Launes, 83690 Salernes ;
Tél. : 04 94 70 62 72.

• Martine Gilles

Faïences aux décors fleuris et fruités.

84390 Brantes ; Tél. : 04 75 28 03 37.

• Vernin

Tomettes ou carreaux de terre cuite entièrement fait main.
Plus de 170 couleurs.
RN 100, le Pont Julien, 84480
Bonnieux ; Tél. : 04 90 04 63 04.

Côté verre

• Opiocolor

Pâte de verre à bords adoucis dans plus de 60 coloris différents pour couvrir de mosaïque des plateaux de tables par exemple.
4, route de Cannes, 06650 Opio ;
Tél. : 04 93 77 23 30.

Côté accessoires

• Label Bleu

Une palette de bijoux provençaux.
216, rue Breteuil,
13006 Marseille ;
Tél. : 04 91 81 61 76.

• La Botte Camarguaise

Bottes ou chaussures faites sur mesure.
22, rue Jean-Granaud, 13200 Arles ;
Tél. : 04 90 96 20 87.

• La Chapellerie Mouret

Chapeaux de paille tressée à minuscule calotte comme à Nice ou à large bord comme la bérigoule typiquement provençale, les chapeaux sont présentés dans un décor 1860 (classée monument historique).
20, rue des Marchands,
84000 Avignon ; Tél. : 04 90 85 39 38.

• L'Arlésienne

Costumes d'Arlésienne ou de gardian que l'on confectionnera à vos mesures ou que vous louerez.
12, rue du Président-Wilson,
13200 Arles ;
Tél. : 04 90 93 28 05.

• Molinard

Pour posséder un parfum que vous aurez vous-même élaboré à l'atelier de tarinologie (sur rendez-vous). Votre formule personnelle sera conservée et vous pourrez recommander votre « jus » personnel quand vous voudrez.
60, bd Victor-Hugo, 06130 Grasse ;
Tél. : 04 93 36 01 62.
Il faut prendre rendez-vous pour suivre les cours de tarinologie.

• Pinus

Cette maison vous propose ses bijoux arlésiens.
6, rue Jean-Jaurès,
13200 Arles ;
Tél. : 04 90 96 04 63.

• Rondini

Sandales tropéziennes.
16, rue Clemenceau,
83990 Saint-Tropez ;
Tél. : 04 94 97 19 55.

• **Saoya**
Tout un assortiment de bijoux
à motifs floraux.
2, rue Aude, 13100 Aix-en-Provence ;
Tél. : 04 42 27 97 88.

Côté tradition
• **Fraber Pétanque**
Une adresse incontournable.
1193, chemin de Saint-Bernard, 06220
Vallauris ; Tél. : 04 93 64 11 36.
• **Jean-Pierre Magnan**
Vous trouverez là galoubets et
tambourins, fifres et épinettes.
8 bis, rue du Mazeau, 84100 Orange ;
Tél. : 04 90 34 25 62.
• **La Boule Bleue**
Boules de pétanque artisanales et
personnalisées à votre nom ou numéro
fétiche si vous le souhaitez.
Montée de Saint-Menet,
13011 Marseille ; Tél. : 04 91 43 27 20.
• **L'Atelier de la Marmotte**
Pour trouver des jeux et jouets en bois
à l'ancienne.
04530 Saint-Paul-sur-Ubaye ;
Tél. : 04 92 84 35 01.

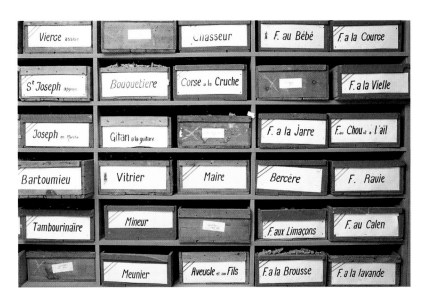

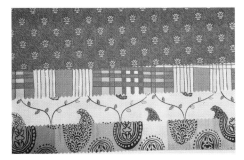

• **Les Olivades**
Tissus provençaux.
Chemin des Indienneurs, 13103 Saint-
Étienne-du-Grés ; Tél. : 04 90 49 19 19.
Visite de l'usine sur rendez-vous.

• **Santons Carbonel**
Célèbre maison avec toutes sortes
de santons. On peut visiter ses ateliers.
47, rue Neuve-Sainte-Catherine,
13007 Marseille ; Tél. : 04 91 54 26 58.
Visite de l'atelier possible les mardis
et jeudis ou sur rendez-vous.
• **Santons Daniel Scaturro**
Ils vous amuseront : ils représentent
des personnages de Pagnol ou des
personnalités comme Montand,
Picasso, Fernandel ou Jacques Chirac.
La maison propose même de réaliser,
d'après photo, un santon à votre
image !
20, av. de Verdun, 13400 Aubagne ;
Tél. : 04 42 84 33 29.
• **Santons Véronique Dornier**
Ses santons entièrement bleus vous
surprendront.
84390 Brantes ; Tél. : 04 75 28 01 66.
• **Savonnerie Marius Fabre**
Pour son célèbre savon de Marseille.
On peut visiter la fabrique.
148, av. Paul-Bourret, 13300 Salon-

de-Provence ; Tél. : 04 90 53 24 77.
Visite de la fabrique du lundi
au vendredi, à 10 h et 11 h.
• **Souleïado**
Une célèbre maison dont la réputation
n'est plus à faire.
39, rue Proudhon, 13150 Tarascon ;
Tél. : 04 90 91 08 80.

Côté gourmandise

• Céréales Ventoux

Le petit épeautre ou « blé des Gaulois »,
délicieux en soupe ou en taboulé.
*Les Beaumes, route de Saint-Cristol,
84390 Sault ; Tél. : 04 90 64 07 99.*

• Confiserie Azuréenne

Marrons glacés, crème de marron,
crème d'amandes et de noisettes
et confitures de marrons.
*Bd Koenig, 83610 Collobrières ;
Tél. : 04 94 48 07 20.*

• Confiserie Brémond

Pour ses célèbres calissons
et son « petit musée de l'amande ».
*16, rue d'Italie,
13100 Aix-en-Provence ;
Tél. : 04 42 27 36 25.*

• Confiserie des Gorges du Loup

Confit de fleurs de jasmin :
cette spécialité inédite et délicieuse est
à déguster sur des blinis ou des crêpes.
*Le Pont du Loup, 06140 Tourrettes-sur-
Loup ; Tél. : 04 93 59 32 91.*

*Assortiment de la Confiserie du Roy René
(voir adresse p. 40).*

• Distilleries et Domaines de Provence

Pour le pastis artisanal, le rinquinquin,
le génépi, le vin cuit de Noël et la
farigoule, à boire bien frais.
*Espace dégustation,
av. Saint-Promasse, 04300 Forcalquier ;
Tél. : 04 92 75 15 41.*

• Distillerie Inisan

Pour l'Élixir du Révérend Père Gaucher
(à l'abbaye Saint-Michel-de-Frigolet).
*26, rue Voltaire, 13160 Chateaurenard ;
Tél. : 04 90 94 11 08.
Possibilité de visite guidée de la distillerie.*

• Distillerie Janot

Pour son marc de Garlaban et son pastis.
*2, av. Pastré, 13400 Aubagne ;
Tél. : 04 42 82 29 57.*

• Distillerie Manguin

Pour ses eaux de vie et liqueurs.
*Île de la Barthelasse,
chemin des Poiriers, 84000 Avignon ;
Tél. : 04 90 82 94 49.*

• Fassy

Pour ses succulentes fougasses salées,
sucrées ou garnies.
13910 Maillane ; Tél. : 04 90 95 74 01.

• Genin

Pour son célèbre saucisson d'Arles :
la Farandole.
*11, rue des Porcelets, 13200 Arles ;
Tél. : 04 90 96 01 12.*

• Jean Martin

Tapenades et conserves de légumes,
dont une délicieuse riste d'aubergine.
*8-10, rue Charloun-Rieu,
13520 Maussane-les-Alpilles ;
Tél. : 04 90 54 30 04.*

• La Chocolaterie

Barres de chocolat, orangettes
croquantes et mendiants blancs,
cette maison vous propose plus de cent
variétés.
*4, place des Treize-Cantons,
13002 Marseille ; Tél. : 04 91 91 67 66.*

• La Quinsonne

Truffes ou rabasses, vous trouverez ici
le diamant de la cuisine en conserve
ainsi que du jus de truffe bien parfumé.
84170 Monteux ; Tél. : 04 90 61 04 25.

• **La Sauvagine**
Plantes aromatiques et médicinales
de Haute-Provence.
04000 Digne-les-Bains ;
Tél. : 04 92 32 07 89.
• **Le Moulin Bleu**
Nougats « suce-miel » et pompes à huile.
7, cours du 11 novembre,
13190 Allauch ; Tél. : 04 91 68 19 06.
• **Le Petit Duc**
Dégustez ses chocolats
aphrodisiaques : les « Pastilles
d'Amour ». Possibilité de déguster,
autour d'un thé ou d'un vin cuit,
les spécialités de la maison (par groupe
de 6 à 15 personnes sur rendez-vous).
7, bd Victor-Hugo,
13210 Saint-Rémy-de-Provence ;
Tél. : 04 90 92 08 31.

• **Léonard Parli**
Une adresse à ne pas manquer pour les
amateurs de calissons.
35, av. Victor-Hugo,
13100 Aix-en-Provence ;
Tél. : 04 42 26 05 71.
• **Les Délices du Luberon**
Tapenades, herbes provençales, miel et
confitures, etc. Possibilité de visiter la
maison.
Av. du 8 mai 1945,
84800 L'Isle-sur-la-Sorgue ;
Tél. : 04 90 38 45 96.

• **Les Figuières**
Pour ses merveilleuses confitures
de figues.
Mas de Luquet,
13690 Graveson ;
Tél. : 04 90 95 72 03.
• **Lilamand**
Pour les amateurs de
fruits confits.
5, av. Albert-Schweitzer,
13210 Saint-Rémy-
de-Provence ;
Tél. : 04 90 92 11 08.
• **Maison Herbin**
Pour les amateurs
d'excellentes confitures
de fruits.
L'Arche des confitures,
2, rue du Vieux-
Collège, 06500 Menton ;
Tél. : 04 93 57 21 00.
Visite de la fabrique
le mercredi, à 10 h 30 ;
Tél. : 04 93 28 47 70.

Pour le miel
• **Ferme Apicole Savy**
04870 Saint-Michel-l'Observatoire ;
Tél. : 04 92 76 65 22.
• **Lo Brusc**
84750 Viens ;
Tél. : 04 90 75 24 42.
• **Maison du Tourisme**
et des Produits du Pays de Sault
84390 Sault ;
Tél. : 04 90 64 01 21.
• **Mas des Abeilles**
84480 Bonnieux ;
Tél. : 04 90 74 29 55.
• **Ruche d'Aurabelle**
04800 Gréoux-les-bains ;
Tél. : 04 92 78 81 78.

Pour l'huile d'olive
• **Coopérative de la Vallée**
  des Baux
13520 Maussane-les-Alpilles ;
Tél. : 04 90 54 32 37.
• **Les Frères Haut**
84330 Caromb ;
Tél. : 04 90 62 42 05.
• **Moulin Autran**
Pont roman, 26110 Nyons ;
Tél. : 04 75 26 02 52.
• **Moulin Mathieu**
84580 Oppède-en-Luberon ;
Tél. : 04 90 76 90 66.
• **Serge Pérignon**
84220 Gordes ;
Tél. : 04 90 72 07 39.

Ci-dessus : *brouette spéciale pour transporter les vases de jardin et miroir en bois doré. Page de droite : assiette en barbotine représentant Menton (musée de Menton) et crèche permanente, vers 1810 (musée d'Art et d'Histoire de Provence, à Grasse).*

Pour les fans d'antiquités

• Arlette Oger
Place de l'Église, 13810 Eygalières ;
Tél. : 04 90 95 96 18.
Ouvert du jeudi au dimanche.
• Balade en Jadis
Le plan occidental, D 562, 83440
Montauroux ; Tél. : 04 94 85 76 22.
• Brocante du Parage
19, bd Gambetta,
13210 Saint-Rémy-de-Provence ;
Tél. : 04 90 92 25 11.
• Bruno Huppert
11, bd Latourette, 04300 Forcalquier ;
Tél. : 04 92 75 29 89.
• French Country Living
Rue des Remparts, 06250 Mougins ;
Tél. : 04 93 75 53 03.

Couture et broderie

• Au Bonheur des Dames
11, rue des Boutielles, 13100 Aix-en-Provence ; Tél. : 04 42 43 28 28.
• Dominique Le Roux
17, rue Marcel-Sembat,
83200 Toulon ; Tél. : 04 94 09 08 36.
Celles qui voudraient s'initier à l'art du boutis pourront suivre les cours de Dominique Le Roux, au Pradet et au Brusc.
• D'un Fil à l'Autre
53, rue Jean-Jaurès, 83000 Toulon ;
Tél. : 04 94 92 63 76.
• Graphigro
3, place Félix-Barrret, 13006
Marseille ; Tél. : 04 91 55 55 51.
• La Petite Mercerie
8, rue Berneix, 13001 Marseille ;
Tél. : 04 91 50 77 33.

• La Trouvaille
Vous y trouverez des fournitures
pour la réalisation de broderies,
de couvertures piquées et de rideaux
et pourrez suivre des cours de boutis
et de patchwork.
Quartier de la Crau, Les Méjanes,
13210 Saint-Rémy-de-Provence ;
Tél. : 04 90 92 50 58.
• Menthe Poivrée
Cette boutique propose
des fournitures pour des ouvrages
raffinés au point de croix ainsi que
des abécédaires.
28 bis, bd Paul-Peytral,
13008 Marseille ; Tél. : 04 91 54 96 95.
• Tentation
4, av. du Général-de-Gaulle,
84110 Vaison-la-Romaine ;
Tél. : 04 90 28 82 77.

• Hervé Baume
19, rue Petite-Fusterie, 84000 Avignon ;
Tél. : 04 90 86 37 66.
• Intérieur-Extérieur
13, rue des Épinaux, 13100 Aix-
en-Provence ; Tél. : 04 42 96 42 07.
• La Belle Brocante
21, rue Portalis, 83330 Le Beausset ;
Tél. : 04 94 90 43 88.
• L'Antiquaire de Maussane
Bastide Saint-Bastien, 99, av. de la
Vallée des Baux, 13520 Maussane-
les-Alpilles ; Tél. : 04 90 54 37 64.
• Le Grand Jardin
Route de la Gare, 83440 Fayence ;
Tél. : 04 94 76 11 11 et 04 94 76 17 92.
• Le Mas de Curebourg
Route d'Apt, 84800 L'Isle-sur-la-Sorgue ;
Tél. : 04 90 20 30 06.
• Le Passé Simple
5, rue de la Liberté, 13200 Arles ;
Tél. : 04 90 96 78 39.
• Les Paillerols
Rue de la Bourgade, 04360 Moustiers-
Sainte-Marie ; Tél. : 04 92 74 69 92.
• Lou Pichot Trésor
4, rue Jean-Aicart, 83230 Bormes-
les-Mimosas ; Tél. : 04 94 71 26 23.
• Michel Biehn
7, av. des Quatre-Otages, 84800 L'Isle-
sur-la-Sorgue ; Tél. : 04 90 20 89 04.
Ouvert le samedi et le dimanche (la
semaine : sur rendez-vous uniquement).
À visiter : les cinq villages d'antiquaires
de L'Isle-sur-la-Sorgue, mais aussi :
• Village des Antiquaires Fifi-Turin
20, bd Fifi-Turin, 13010 Marseille ;
Tél. : 04 91 80 12 42.
• Village des Antiquaires du Quartier
de Lignane
RN 7, Lignane, 13540 Puyricard ;
Tél. : 04 42 92 50 03.

Pour les artistes
• Franco
11, rue des Belges, 06400
Cannes ; Tél. : 04 93 39 36 57.
19, rue Pastorelli, 06000 Nice ;
Tél. : 04 93 85 25 20.
• Galerie Abadie
60, rue des Lices,
84000 Avignon ;
Tél. : 04 90 82 70 93.
• Galerie La Palette
13 bis, rue Paul-Landrin,
83000 Toulon ;
Tél. : 04 94 93 49 17.
• La Palette d'Art
Route de Chateaurenard,
13550 Noves ; Tél. : 04 90 94 25 42.
19, bd Gilibert, 13009 Marseille ;
Tél. : 04 91 74 73 70.
• L'Univers des Arts
14, av. Roger-Salengro, 13400
Aubagne ; Tél. : 04 42 03 11 09.

• Rougier & Plé
Route de Camp Major,
13400 Aubagne ; Tél. : 04 91 27 24 04.
• Terre d'Oc
10, rue Grande, 04300 Forcalquier ;
Tél. : 04 92 75 44 63.

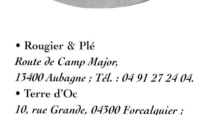

Voyage entre les lignes

Antiquités et arts décoratifs

Beaumelle (M.-J.), Jaquenoud (P.), Guerre (G. et V.), *Les arts décoratifs en Provence*, Éditions Édisud.

....

Berenson (K.), *Boutis de Provence*, Éditions Flammarion.

....

Bertrand (R.), *Crèches et santons de Provence*, Éditions A. Barthélemy.

....

Delesty (Fr.), *La terre des santons : Françoise Delesty raconte*, Éditions de Haute-Provence.

....

Mannoni (É.), *Mobilier provençal*, Éditions C. Massin.

....

Rességuier (B. de), *Les faïences de Moustiers*, Éditions Ouest-France.

Art de vivre

Biehn (M.), *Couleurs de Provence*, Éditions Flammarion.

....

Magnan (P.) et Faure (D.), *Les Promenades de Giono*, Éditions du Chêne.

Moulin (P.), Le Vec (P.), Dannenberg (L.), *L'art de vivre en Provence*, Éditions Flammarion.

Gastronomie

Bourgeois (E.) et Manetti (P.), *La Cuisine provençale du mas Tourteron*, Éditions du Chêne.

....

Frebet (J.) et Calais (M.), *Trésors du Sud*, Éditions du Chêne.

....

Gedda (G.), *La table d'un provençal*, Éditions Roland Escaig.

....

Inventaire du Patrimoine culinaire de la France, *Provence-Alpes-Côte d'Azur : produits du terroir et recettes traditionnelles*, Éditions Albin-Michel/CNAC.

Lamboley (Ph.) et Barret (Ph.), *Saveurs et terroirs de Provence*, Éditions Hachette.

....

Millo (F.) et Saint-Roche (C.), *Côtes de Provence, un art de vivre*, Éditions Lincoln, Édition°1.

....

Nazet (M.), *Misé Lipeto : calendrier gourmand de la cuisine provençale d'hier et d'aujourd'hui*, Éditions Créer.

....

Plazy (G.) et Saulnier (J.), *Le goût de la Provence de Paul Cézanne*, Éditions du Chêne.

....

Reboul (J.-B.), *La Cuisinière provençale*, Éditions Tacussel.

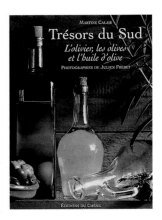

Sammut (R.), *La cuisine de Reine : heures et saveurs méditerranéennes*, Éditions Hachette.

....

Scotto (E.), Forgeur (B.) et del Moral (J.-M.), *L'huile d'olive*, Éditions du Chêne.

Guides

Bottani (D.), *Le guide des pays du Luberon*, et *Le guide des pays du Ventoux*, Éditions de la Manufacture.

....

Le guide du Routard, *Provence-Côte d'Azur*, Éditions Hachette.

....

Le guide Vacances, *Provence-Côte d'Azur*, Éditions Hachette.

Histoire et culture provençales

Alauzen (A.),
La peinture en Provence,
Dictionnaire des peintres
et sculpteurs de Provence-Alpes-
Côte d'Azur,
Éditions J. Laffitte.

Arnaud d'Agnel (G.)
et Dor (G.),
Noël en Provence : usages,
crèches, santons, noëls, pastorales,
Éditions J. Laffitte.

La Côte d'Azur et la modernité
(1918-1958),
Éditions de la Réunion
des Musées Nationaux.

Dautier (N.),
Bastides et jardins de Provence,
Éditions Parenthèses.

Jardins et nature

Jarry (D.) et Harrant (H.),
Guide du naturaliste
dans le midi de la France
(2 volumes),
Éditions Delachaux & Niestlé.

Jones (L.) et Motte (V.),
Splendeur des jardins de Provence,
Éditions Flammarion.

Jones (L.) et Motte (V.),
Le nouvel esprit des jardins ;
un art, un savoir-faire en Provence,
Éditions Hachette.

Littérature

Arbaud (J. d'),
La Bête du Vaccarès,
Éditions Grasset.

Aubanel (T.),
Œuvres complètes,
Éditions Aubanel.

Blanchet (Ph.),
Dictionnaire du français
régional de Provence,
Éditions C. Bonneton.

Gelu (V.),
Œuvres complètes,
Éditions M. Petit.

Giono (J.),
Journal, poèmes, essais,
Éditions Gallimard, Coll.
« Bibliothèque de la Pléiade »

Giono (J.),
Provence,
Éditions Gallimard,
Coll. Folio.

Mayle (P.),
Une année en Provence
et *Provence toujours,*
Éditions du Seuil,
Coll. Point.

Merlo (L.)
et Pelen (J.-N.),
Jours de Provence,
Éditions Payot.

Mistral (F.),
Mireille,
Éditions Librairie bleue.

Pétrarque,
L'Ascension du mont Ventoux,
Éditions Séquences.

Proverbes et dictons
provençaux,
Éditions Rivages.

Zola (É.),
La Fortune des Rougon,
Éditions Gallimard,
Coll. Folio.

Mus (J.),
Les jardins de Provence de Jean Mus,
Éditions du Chêne.

Photos

Leroux (J.-B.)
et Audouard (Y.),

Provence, le bonheur sortait
des pierres,
Éditions du Chêne.

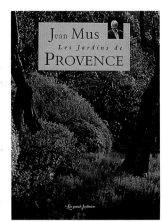

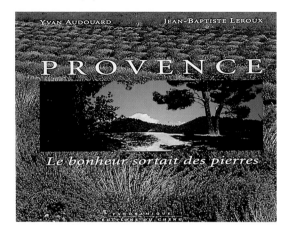

Crédit photographique

Éd. Philippe Lamboley/Philippe Barret : P. 4 (ht d.) ; p. 6 (g.) ; p. 7 (ht g., c.d.) ; p. 8 (b.g.) ; p. 9 (b.) ; p. 14 (ht d.) ; p. 15 (b.g.) ; p. 16 (b.g.) ; p. 17 ; p. 18 (b.g., ht d.) ; p. 21 (ht) ; p. 22 (b.) ; p. 23 (b.) ; p. 24 ; p. 28 (b.g.) ; p. 33 (b.c.) ; p. 36 (c.d.) ; p. 37 ; p. 38 ; p. 39 ; p. 40 (ht g., c.d.) ; p. 42 (b.g.) ; p. 43 (ht) ; p. 48 (ht d., c.g., b.d.) ; p. 50 (b.g.) ; p. 51 ; p. 52 ; p. 54 (ht g., b.c.) ; p. 55 ; p. 58 (ht g.) ; p. 61 (ht g.) ; p. 77 (ht g., c.g., c.d.) ; p. 78 (ht g., ht d., b.d.) ; p. 79 (ht g., c.c.) ; p. 80 (ht g., ht d., b.g., b.d.) ; p. 85 (ht) ; p. 124 (ht d.) ; p. 133 (c.d.) ; p. 136 (b.) ; p. 137 (ht d.) ; p. 141 (ht).

Patrick Sordoillet : p. 3 ; p. 4 (c.g.) ; p. 10 (ht d., c.g.) ; p. 13 (ht d.) ; p. 14 (ht g.) ; p. 18 (ht g.) ; p. 19 ; p. 42 (ht d.) ; p. 43 (ht d., b.g.) ; p. 47 (ht g.) ; p. 50 (ht d.) ; p. 59 (ht g.) ; p. 60 ; p. 63 (g.) ; p. 64 (ht) ; p. 74 (g.) ; p. 75 (b.d.) ; p. 76 ; p. 77 (ht c.) ; p. 78 (ht c., b.g., c.d.) ; p. 79 (ht c., ht d., b.d.) ; p. 80 (c.c., b.c.) ; p. 90 (ht d.) ; p. 92 (ht g., b.c.) ; p. 96 (ht d.) ; p. 100 (b.c., c.d.) ; p. 105 (ht d.) ; p. 115 (ht d., c.d.) ; p. 117 (c.d.) ; p. 119 (b.d.) ; p. 128 (c.c.) ; p. 133 (ht) ; p. 134 (b.d.) ; p. 135 (b.g.) ; p. 137 (c.g., c.d.) ; p. 138 (b.g.).

Marc Lemoro : p. 13 (b.g.) ; p. 14 (b.g.) ; p. 15 (ht d.) ; p. 16 (ht d.) ; p. 23 (ht) ; p. 25 ; p. 28 (d.) ; p. 29 ; p. 31 ; p. 34 (b.) ; p. 35 ; p. 53 (g.) ; p. 58 (c.d.) ; p. 61 (b.c.) ; p. 75 (c.d.) ; p. 89 (b.d.) ; p. 100 (ht g., ht d., b.g., b.d.) ; p. 103 ; p. 104 ; p. 107 ; p. 108 ; p. 111 ; p. 125.

Laurent Parrault : p. 32 (ht g.) ; p. 49 (ht d., b.d.) ; p. 57 (ht d.) ; p. 58 (ht d.) ; p. 59 (b.) ; p. 62 (ht) ; p. 72 (ht g.) ; p. 77 (b.g.) ; p. 83 ; p. 101 ; p. 114 (c.g.) ; p. 115 (b.g.) ; p. 117 (ht d.) ; p. 120 (b.g.) ; p. 131 (ht g., ht c.) ; p. 135 (ht d.).

Midi Pile/Jacques Schlienger : p. 9 (ht) ; p. 99 (ht g.) **/Éric Tessier :** p. 11 (b.g.) ; p. 93 (b.g.) **/Patrick Box :** p. 27 (b.g.) **/F.-X. Émery :** p. 20 ; p. 32 (b.) ; p. 34 (ht) ; p. 97 (ht d.) **/Renée Mannent :** p. 36 (b.g.) **/Ph. Leroux :** p. 27 (ht d.) ; p. 52 (ht g.) ; p. 53 (ht d.) ; p. 54 (ht d.) ; p. 100 (c.g.) **/Patrick Guzik :** p. 66 (b.g.).

Éric Guillot : p. 4 (b.g.) ; p. 5 (ht g.) ; p. 14 (ht g., ht d.) ; p. 15 (b.g.) ; p. 16 (ht) ; p. 41 (g.) ; p. 79 (b.g.) ; p. 81 ; p. 90 (b.g.) ; p. 91 (ht d.) ; p. 93 (ht g.) ; p. 120 (ht d.) ; p. 121 ; p. 126 (c.c.).

Louis Gaillard : p. 4 (c.) ; p. 52 (ht d.) ; p. 62 (b.g, b.d.) ; p. 63 (d.) ; p. 65 ; p. 66 (b.d.) ; p. 67 ; p. 73 ; p. 82 ; p 84 ; p. 85 (b.) ; p. 112 ; p. 113.

Jacques Debru : p. 8 (ht d., b.g.) ; p. 21 (b.d.) ; p. 22 (ht) ; p. 26 ; p. 30 (b.d.) ; p. 40 (b.c.) ; p. 48 (ht g.) ; p. 66 (ht d.) ; p. 72 (ht d.) ; p. 130 (ht d.).

Jean Malburet : p. 12 (ht d.) ; p. 33 (c. d.) ; p. 36 (ht g.) ; p. 41 (d.) ; p. 72 (b.g.) ; p. 95 (ht d.) ; p. 100 (ht c.) ; p. 117 (c.c.) ; p. 130 (ht c.) ; p. 137 (b.d.).

Wallis/Leyreloup : p. 6 (ht d.) **/LCI :** p. 12 (b.g.) **/G. Martin Raget :** p. 30 (c.d.) **/C. Moirenc :** p. 49 (b.g.) **/S. Moirenc :** p. 57 (b.d.) **/Giani :** p. 96 (b.d.) **/Jo Clasen :** p. 99 (c.d.) **/François Goalec :** p. 130 (b.g.).

Christian Sarramon : p. 44 (ht d.) ; p. 56 (ht d.) ; p. 77 (b.c.) ; p. 116 (ht g.) ; p. 119 (ht g.) ; p. 124 (g.).

Ainsi que :
Archives nationales : p. 88 (b.g.).
Carocim : p. 134 (ht).
Éric Cattin : p. 33 (ht).
Chapelle de Notre-Dame-des-Fleurs, à Vence : p. 94 (b.g.).

Château de Brantes/B. Floquet : p. 96 (b.g.).
Château de Fonscolombe : p. 44 (b.g.).
Château La Coste : p. 45 (b.d.).
Château La Nerthe : p. 46.
Château Val Joanis : p. 45 (ht g.).
Alex Cholet : p. 58 (c.g.).
Crea photo/Jean-François Lepage : p. 135 (b.d.).
Domaine du Rayol/F. Macquart-Moulin : p. 98 (ht d.).
Faïence d'Apt de Jean Faucon : p. 5 (b.d.).
Faïencerie de L'Isle-sur-la-Sorgue : p. 130 (c. c, c.d., b.d.).
Fonds bibliothèque Méjanes (Ms.1389)/Pierre-Yves Brest : p. 88 (ht d.).
J.-P. Genar : p. 56 (ht c.).
Gerbino : p. 134 (c.g.).
Harmas de Fabre : p. 68 ; p. 69 (c.g.) ; p. 70 ; p. 71 (ht d., b.g.).
Virginie Motte : p. 69 (ht d.).
Musée Arlaten/B. Delgado : p. 114 (ht d., b.c.) ; p. 116 (b.g.).
Musée d'Art et d'Histoire de Provence, à Grasse : p. 116 (c.c.) ; p. 139 (b.d.).
Musée de la Faïence de Moustiers : p. 129 (b.c.).
Musée de la Faïence de la Ville de Marseille/Gérard Bonnet : p. 126 (ht g., ht d., b.d.) ; p. 128 (d.) ; p. 129 (ht g.) **/André Ravix :** p. 127.
Musée provençal du Costume-Fragonard Maison/B. Touillon : p. 93 (c.d.).
Musée du Vieux-Nîmes : p. 88 (b.g.) ; p. 89 (ht d.).
Noak-Le Bar Floréal : p. 5 (ht d.) ; p. 30 (ht d.) ; p. 138 (ht g.).
OKHRA/Barrois : p. 77 (b.d.).
O.T.-S.I. de Cagnes-sur-Mer : p. 89 (b.g., b.d.).
O.T. de Cavaillon : p. 6 (b.d.).
O.T. de Grasse : p. 56 (b.g., b.d.) ; p. 57 (b.g.).
Pavillon Vendôme, à Aix-en-Provence : p. 92 (c.d.).
Pépinière de la Foux : p. 98 (b.d., b.g.) ; p. 99 (b.g.).
S.I. de Villefranche-sur-Mer : p. 95 (c.g.).
Société d'Art et d'Histoire du Mentonnais/Serge Causse : p. 116 (c.d.) ; p. 122 ; p. 123 ; p. 139 (ht).
Jean-Philippe Somme : p. 133 (b.g.).
Studio P. Mouton : p. 136 (ht).
Verrerie de Biot : p. 132 (ht).
Villa Kérylos-Institut de France : p. 95 (b.d.).

Droits réservés : p. 11 (ht d.) ; p. 74 (d.) ; p. 77 (ht d.) ; p. 118 ; p. 126 (c.d.) ; p. 129 (c.c.) ; p. 140 ; p. 141 (b.g., b.d.).

Couverture : Louis Gaillard.
Quatrième de couverture : Éd. Philippe Lamboley/Philippe Barret

Nous remercions pour leur aimable collaboration les chefs de Provence qui nous ont aidé dans l'élaboration des recettes, avec une mention particulière pour Jean-Marc Banzo (Le Clos de la Violette, à Aix-en-Provence), Dominique Bucaille (Hostellerie de la Fuste, à Valensole), Guy Gedda (Les Jardins de Perlefleurs, à Bormes-les-Mimosas) et Philippe Troncy (L'Arbousier, à Saint-Raphaël).

Direction : Isabelle Jeuge-Maynart
Direction éditoriale : Catherine Marquet
Responsable de collection : Odile Perrard
Stylisme : Sylvie Bendavid, Véronique et Yves Méry
Broderies : Corinne Lacroix
Rédacteurs : Jeanne Barzilaï, Isabelle de Jaham, Virginie Motte, Julie Rochette
Lecture-correction : Fella Saïdi-Tournoux
Conception graphique : Emmanuel Le Vallois avec Étienne Hénocq
Fabrication : Caroline Garnier, Gérard Piassale

Imprimé en Italie par G. Canale (Turin)
Dépôt légal 8388 – Mai 1998
ISBN : 201242843-6 – 24.2843-1 – Edition 01

Album des Vacances